JN116771

# 林芳樹の「正平調（せいへいちょう）」

神戸新聞社論説委員室・編

# はじめに

この本を手にとってくれたあなたは、「正平調（せいへいちょう）」の愛読者でしょうか。だとしても、筆者の「林 芳樹」という名前をご存じの方はそれほど多くないかもしれません。

神戸新聞の1面コラムが「正平調」を名乗るようになったのは、今から90年前の1934（昭和9）年1月のこと。文字通り「厳正公平」の意味に、中国・唐の時代に流行した漢詩のスタイルの一つで華麗さを特徴とする「清平調」の読みとイメージを重ねて生まれたタイトルだそうです。高く掲げた志の下、神戸新聞の中でも選りすぐりの書き手と認められたコラムニストが書き継いできました。

正平調には、ほかの記者コラムと違って署名がありません。それでも、文章のくせやテーマの取り上げ方、その切り口などを手がかりに、筆者の「顔」を想像しながら読んでいただいているのではないでしょうか。林芳樹さんは、2004（平成16）年から2023（令和5）年に退社されるまで、計2000本に迫るコラムを書き続けた、正平調の一時代を代表する「顔」の一人です。多いときは週4～5本を書いていた時期もありますから、実は、正平調で毎日のようにお目にかかっていた方もいらっしゃるはずです。

コラムニストは、孤独です。どんなにネタに困っても代わってくれる人はいない。せっかく膨大な資料を集めても同じ材料は二度と使えない。他のコラムと似通ってもいけない。ひりひりと身を削るような日々だったろうと想像します。しかし、林さんから愚痴や苦労話を聞かされた記憶はありません。飲み会では、もっぱら私たちの愚痴の聞き役でした。ストレスがないはずはないのに、どこでどう発散していたのか不思議でなりません。

「本にしたい」という私たちの思いつきにも、快く付き合ってくれました。掲載するコラムはご本人に選んでもらいました。その持ち味は…と、余計な解説はしないでおきます。

ただ言えることは、アンテナは高く広く、その視線は、例えるなら、ドラフト1位のスターより、4巡目以降の無名選手や、その素質を見いだすスカウトに向いています。読んでもらえば、いぶし銀が発するぬくもりを感じてもらえるでしょう。

正平調は、多くの読者の目にとまる分、熱烈なファンレターや、時には厳しいおしかりの声も届きます。林さんは、そのすべてをスクラップ帳に貼り付けて大事にとってあるそうです。読者の生の反応が執筆の原動力だからと。

「林芳樹の正平調」を支えてくださったみなさんに、ほんの一部ですが、このコラム集をお届けできることをうれしく思います。

2024年1月

神戸新聞社論説委員長　勝沼　直子

## 目次

はじめに……2

【第1章】大震災、そして感染症
10年目の出来事……10
周年……12
数秒間にできること……14
大震災500日……16
ルミナリエの会場で……18
まさ土の怖さ……20
キャサリンの笑顔……22
伝える、伝わる……24
先人の知恵……26
機転のアナウンス……28
震災とスイセン……30
被災地の10年……32
されど、おにぎり……34
冷静に、冷静に……36
困っている人に手を……38
負けてたまるか……40
まだ一回裏……42
まっとうに働こう……44
編集局長手控え帳①　午前5時46分……46

【第2章】街を見つめて
美術館での質問……48
1円玉のこと……50
誤変換……52
方言を大事に……54

もっとベンチを……56
制服の重み……58
ふりかえれば、未来……60
地名が物語る……62
カメラ知る……64
喫茶店の話……66
受けたい授業……68
コウベビーフ……70
なくし物……72
忘れ物……74
どうしたの？……76
かばんの物語……78
関西弁の味……80
母の日に……82
ノー電柱……84
一番いいおにぎり……86
鍛えられた笑い……88
橋が紡ぐお話……90
チョーク作戦……92
関西人て？……94
残忍すぎる……96
温水洗浄、40年……98
消える公衆電話……100
ホッとする話……102
編集局長手控え帳❷ 人生仮免許……104

【第3章】あの人、この人、加えて…

走れ！ウララ……106
敗れざる人々……108
イチローのバット……110
自分を励ます……112

西宮球場の記憶……114
スカウトの目……116
心へのカンフル剤……118
辛抱という棒……120
プロの味……122
天空に光る星……124
水の申し子……126
棋士視聴率……128
温かい記憶……130

編集局長手控え帳③ ひとつまみの調味料……132


## 【第4章】まつりごとに一言

ヒマワリの国……134
ドリルで掘る……136
もんだの人々……138
憲法60年……140
親から子へ……142
「遺憾」を禁句に……144
民主党らしさとは……146
塩ふき臼……148
国家機密とは……150
前のめりのニッポン……152
官邸の胸算用……154
砕けてほしいもの……156
血の通わない答え……158
止まって考える……160
非核神戸方式……162
東京のヒラメ……164
5円硬貨を見て……166
放言がすぎる……168
憲法は身分証明書……170
片仮名の不快……172

はぐらかし……174
ロシアのクギ……178
涙の貯金……176
値上げ、値上げ……180

**編集局長手控え帳④　聞く力と関西弁**……182

## 【第5章】足を止めて、四季

ツバメとともに……184
北極星……196
雨粒の大きさ……186
小暑の夕暮れ……198
カラスたちよ……188
日暮れ時に……200
桜の季節に……190
荒々しい雨音……202
新緑を見つめて……192
秋のにほひ……204
ふるさとの山……194
隠れた宝物……206

**編集局長手控え帳⑤　写真の力**……208

## 【第6章】紙の碑として

素顔と芸……210
爪を立てて……216
本物の笑い……212
行動する作家……218
端然とした人……214
言葉でよみがえらせる……220

鉄腕の思い出……222
誇りを与える学問……224
やさしく、深く……226
新喜劇の味わい……228
揺さぶる響き……230
8の物語……232
命を救う台所……234
武骨でもまっすぐに……236
くしが泣いている……238
伸びた背筋……240
内橋克人さんの思い出……242
芸名と本名……244
編集局長手控え帳⑥ 訃報の難しさ……246

【第7章】若者たちへ、子どもたちへ
手紙を書こう……248
歩きたばこ……250
手が語る……252
席を譲る……254
大人の背中……256
ETC世代……258
ごみを拾う……260
がんばるきもち……262
若者のやさしさ……264
入試の季節に……266
編集局長手控え帳⑦ 敗者復活戦……268
あとがき……269


※本書中に登場する方々の所属、肩書、年齢等は
原則掲載時のままとしています。

# 第1章

# 大震災、そして感染症

# 10年目の出来事

〈その年配の夫婦が帰ったあと、不意にこみ上げてくるものがあった。部屋で一人になると、こらえきれずに涙が流れた。〉

阪神・淡路大震災から10年目に入った昨春、神戸新聞の発言欄に載った佐野武さん（47）＝神戸市東灘区＝の投稿である。なにがこみ上げてきたのだろう。ずっと気になっていたので、あらためて話をうかがった。

自宅が無事だった佐野さんは近隣の人に電話を自由に使ってもらったという。玄関を開け放ち、ガラス片でけがをしないよう板を敷いた。多くの人が、その電話で肉親らと連絡をとった。ようやく相手とつながった途端、その場で泣き崩れた女性もいた。

昨年3月、突然の来訪者があった。それが冒頭の夫婦である。「あのとき電話をお借りして」と二人は礼を述べ、実家に住む佐野さんの父が震災で亡くなったことを悼んだ。そして、長らく身を寄せた岡山県からやっと神戸へ戻ってくることになったと告げた。

夫婦を送り出すと感慨が胸に満ちた。自宅が全壊し、言い知れぬ苦労を重ねただろう二人が願いをかなえた。それを素直に喜びたい気持ちに、震災への恨みが交じった。わが身にも降りかかったリストラ。あの夫婦のように、不慣れな地での生活を強いられた人も多い。「うれしくて悲しくて、涙が」。佐野さんはそう話した。

被災地はきょう、震災10年となる。といっても、なにかが変わるわけではない。佐野さんのように心の振り子は揺れ続ける。ただしこう祈りたい。うれしさの方へ少しずつ大きく振れていきますように。

（2005・1・17）

# 周年

ずっと気になっている言い回しがある。阪神・淡路大震災から過ぎた年を数えるのに「周年」を用いることだ。

きのうから始まった通常国会での代表質問で、「震災10周年」の表現があったので、あらためて思いだした。あの忌まわしい大惨事を「周年」で言い表すのは、はたしてふさわしいことなのだろうか、と。

17日の追悼式典は、兵庫県も神戸市も「10周年」だった。他の追悼行事も「10周年」が目についた。官公庁が主催する行事に比較的多い。式典名についてどこまで論議したか知らないが、目にするとどうしても気になる。「10年」の表記でなぜいけないのか。

間違った日本語ではない。「ある時から数えて過ぎた年数」（広辞苑）だから慶事、弔事を問わないだろう。しかし「○周年」といえば、たいがいは「創業○周年記念」などと、めでたいときに使う。これが長い歴史を経て言葉の漂わせる雰囲気である。

17日に何人かの被災者と話したが、だれも「10周年」とは言わなかった。みんな「10年」である。作家藤本義一さんは本紙のインタビューで、式典自体への疑問を持ちながらこう語っていた。「外国では自然災害に『何周年』という発想はしないですよ」

では戦禍はどうなのか。ことしで被爆60年になる広島、長崎両市のホームページを見ると「被爆60周年」の記述が目立つ。やはり抵抗を覚える表記だが、これほどまでに「周年派」が多いと、こだわる方がおかしいのかと、コラム子は悩んでしまう。みなさんはどう思うだろうか。

（2005・1・25）

# 数秒間にできること

映画の字幕は1行10字で、せいぜい2行。短文とはいえ、スクリーンでは6秒しか映らないのに、観客は瞬時に読み取ってくれると、字幕翻訳家が話していた。

水泳の飛び込み競技の演技は1・8秒ほどである。まばたきで終わりそうだが、「意外に長い」とベテランコーチ馬淵かの子さんに教わったことがある。1・8秒あれば、演技のどこをどう直せばいいか、宙を舞いながら考えられるそうだ。

プロ棋士が直感力を養うには10秒将棋が効果的、と神戸在住の谷川浩司さんの著書にある。考える時間が10秒しかなくても、盤面を見るだけで次の一手が浮かぶ。プロのすごみだが、10秒の早指しで鍛えれば、そのうち30秒でも長く感じるという。

10月から緊急地震速報が始まる。大きな揺れに襲われる数秒か数十秒前、予測震度と到達時刻を伝える仕組みだ。わずか数秒間でなにが…と疑問に思う人もいるだろう。だがどれほど時間が短くても、人は頭をフル回転させ、動けるものだ。

2年前、宮城で震度6弱の地震があった。速報の試験運用中だった施設では、揺れる16秒前に警報が鳴った。ある人は本棚が倒れないか身構え、別の人は机の下に潜った。不意打ちの阪神・淡路大震災を思えば、身構える時間の有る無しは大きい。

「考えよう　数秒間で　出来ること」。中学生の作った緊急地震速報の標語である。地震と聞いてパニックにならないよう、短い時間にできることを普段から考えておきたい。頭の中でその訓練をしてみよう、きょうは「防災の日」。

（2007・9・1）

# 大震災５００日

できるものなら流れゆく時間に結び目を付け、ちょっと立ち止まってみたいときがある。この23日がそうだった。東日本大震災からちょうど５００日になる。

阪神・淡路大震災では、１９９６年5月30日がその節目だった。そごう神戸店の再開やＪＲ新長田駅完成などで、晴れ間がのぞき始めたころだ。が、仮設住宅を見れば８万人が身を寄せていた。

記憶をたぐると、世間から忘れられる不安が日ごとに膨らんだ時期でもあった。オウム事件、村山首相退陣、北海道の岩盤崩落…と耳目を引くことが相次いだ。そのたびに、被災地への関心が少しずつ薄まるように感じた。

東北の被災地も同じ不安があるだろう。ある男性が「世間に忘れられるのが一番怖い」と話していたのが印象深い。消費税増税、原発再稼働に節電…と世の中はめまぐるしい。東北がその陰に隠れてしまっていないか。

この夏、そんな被災地へ、兵庫の高校生が支援に入る。昨年を上回る300人余りという。炎天下で大変だが、価値ある活動だ。阪神・淡路の被災地は、皆さんのことを忘れていない。大粒の汗がそう伝えてくれるだろう。

17年前を描く彼末(かれすえ)れい子さんの詩「わたしはここにいます」を思いだす。崩れた住宅にある避難先の張り紙に「生」を見つめた作だ。東北からも「わたしはここにいます」と聞こえてきそうな。その声にあらためて耳を澄ましたい、大震災500日。

(2012・7・26)

# ルミナリエの会場で

神戸ルミナリエが今日から始まる。昨年は約340万人が来場した。今年もたくさんの人がまばゆい光のアーチをくぐることだろう。

数日前、近くへ行ったついでに本番間近の会場を歩いた。出来上がった枠組みが通りをまたいで続く。東遊園地ではさまざまなテントの準備が整う。人けのない会場をゆっくりと見て回りながら、いろんなことを思う。

阪神・淡路大震災の年が第1回である。表面だけを見れば、深い傷が少しずつ見えにくくなってはいた。しかし横道に入れば、暗がりが目立った。崩れた建物の跡が闇に沈んでいた。だからこそルミナリエがひときわ輝き、ぬくもりを感じさせた。

その初回会場で、後ろを歩く親子のこんな会話を耳にした。「きれいね」と驚く幼い娘に、父親が語る。「おじいちゃんがあの上から見ているぞ」。それだけのやりとりだが、大震災で祖父を失ったらしい家族が光の下で穏やかなひとときを過ごす様子がうかがえた。

そんな記憶のページを繰りながら、東遊園地南側の噴水広場へ回る。そこには、東北の被災者を支援する大学生らのテントがある。ルミナリエが観光行事になったと嘆く声をよく聞くが、若者らのテントが災害犠牲者を悼むという原点を思い起こさせてくれる。本当はこんな場所が広場の真ん中にあってほしいのだが…。

大学生らは１００円募金箱にも工夫を凝らす。若い力に期待して硬貨を１枚。

（2012・12・6）

## まさ土の怖さ

身を案じ「大丈夫か」とメールを送った。ほどなく届いた返事は「無事」。そして「すさまじい雷で生きた心地もしなかった」。

広島市安佐北区に住む知人である。一帯が豪雨に襲われ、大きな被害が出た。土石流が家々を押し流し、跡に巨岩が転がる。あまりの惨状に不安が募り、知り合いの安否を確かめた人は多いだろう。

小欄として水害に触れるのは3日連続になる。丹波の被災地が泥と闘うさなか、今度は広島だ。災害の絶えない島国とはいえ、これほど深刻な被害が続くことはそうない。重い気分で記事を読むうち、ある単語に目が留まった。「まさ土」である。

広島は花こう岩が風化した「まさ土」の地層という。水を含むと崩れやすいので被害を拡大させた、と専門家はみる。読みながらつい六甲山と重ねてしまった。緑濃い山の肌もまた、この土が覆う。

国土交通省の資料を見れば、六甲山では30年ほどの周期で水害が起きている。斜面にまさ土が積もっては崩れるからだそうだ。最近では１９６７（昭和42）年、その前が１９３８（昭和13）年の阪神大水害。30年周期説にたてばいつ何時…である。

阪神大水害の体験談をうかがった古老が、別れ際にこう話していたのを思い出す。「六甲山をなめたらあかん。もろい山やと皆さんによーくお伝えください」

（２０１４・８・21）

## キャサリンの笑顔

心ひかれる女性がいる。キャサリンという。お会いしたことは一度もない。しかし心ひかれるものがある。

外国の女性と思われそうだが、キャサリンとは宮城県南三陸町の千葉和子さんのことだ。69歳。津波で義母を失った。夫はその前年に病没した。親類も津波に消え、独りぼっちで仮設住宅に暮らす。

本紙が彼女のことを初めて伝えたのは被災1カ月後だった。身長140センチ。明るく、おしゃべりで、誰かが親しみを込め「キャサリン」と呼んだと記事にある。やがてそれが愛称になった。以降、東日本大震災の節目を迎えるたびに近況が載った。今年は3月9日付だ。

持って生まれた明るさとはいえ、人知れず流す涙もあると記事で知る。「涙は布団に入ってからだべ」。昼間は「笑え笑え」と周りを励ましながら、本当は診療所の薬なしには眠れない。傷口を笑みで覆って生きている。

伝統芸能佐賀にわかの座長、筑紫美主子（みすこ）さんを思い出す。作家森崎和江さんが彼女を描く本の題は『悲しすぎて笑う』。境遇も世界もまったく違う。だが「悲哀を笑いにかえていくみずみずしい力量」と表した女座長の強さと少し重なって見える。

キャサリンは自宅を再建するそうだ。長女一家と暮らすと、先日の記事にあった。大震災4年。彼女の笑顔がもっと輝くまで、もう少し。

（2015・3・12）

# 伝える、伝わる

あの原爆ドームの保存が決まるまで約20年もかかった。「取り壊そう」「いや残そう」。二つの思いの間で街は揺れ続けたのだ。

保存の機運を高めたのは、白血病で亡くなった少女の日記である。原爆の怖さをいつまでも訴えてくれるのはこの建物だけだろうか。そうつづったのを読み、子どもたちが運動を始めた。やがて広島市議会が保存へ動く。

被爆の跡が広がる頃なら「思い出したくない」と反対する気持ちも分かる。その中で広島の皆さんはよくぞ残してくれた。今は世界遺産だ。涙があふれそうな、胸を締め付けるような。戦争や大災害の語り部・遺構をどうするかは、かくも難しい。

石巻市は大川小学校の校舎を保存するそうだ。昨日、市長が会見し表明した。東日本大震災の津波で児童74人、教職員10人が犠牲になっている。遺族の間でも保存か解体かで意見が分かれる校舎だ。

阪神・淡路大震災の紙面づくりでこんなことを思った。「伝える」「伝わる」は似ているようで違う。相手に語るのは「伝える」であり、相手に届くのは「伝わる」。一方通行でなく、読者へ被災地の実情が伝わる紙面をと。

つらい判断だが遺構はできる限り残していきたい。原爆ドームのように、月日がたとうと、そこでの出来事が伝わる。遺構が乏しい阪神・淡路の反省でもある。

（2016・3・27）

# 先人の知恵

見慣れた光景の中に先人の知恵が潜む。例えば―。

川の堤防に桜はつきものだ。実は意外なねらいがあると神戸・人と防災未来センター長の河田恵昭さんが以前、書いていた。たくさんの花見客が来て、堤防を踏み固めてくれる。そう見越しての江戸時代の知恵という。

こちらも目からうろこである。姫路を流れる市川に江戸後期の堰が残る。流れを真横にさえぎる形ではなく、斜めになっている。その治水効果はどうか。兵庫県が最新技術で調べた結果が先日の紙面にあった。

30年に1度の豪雨があったとして水位の変化を分析すると、直角の堰より平均で11センチも低くなると分かった。同じ市川にある明治の石積み突堤も流速を毎秒4メートルは緩めるというから、先人たちの工夫には恐れ入る。

「最後の宮大工」と呼ばれた西岡常一(つねかず)さんが「飛鳥時代の大工は賢い」と話していたのを思い出す。大陸の建築技術をまねるのではなく、日本の風土に合わせようとしているからだ。雨が多いから、夢殿にしても、軒を出し、基壇は高い。「人間が知恵出してつくった。これがいいんです」と。

県は補強したうえで江戸の堰などを残す方針だそうだ。スーパーコンピューターもない時代、経験を踏まえて水対策に案を練った。江戸の技術者も賢い。

(2018・8・12)

# 機転のアナウンス

ちょっといい話を一つ。大阪府北部地震が発生した6月18日朝、芦屋駅で止まった阪神電車内での出来事である。話題になったので、ご存じの方もいるだろうが、いい話は何度でも。

仕事上、英会話に慣れている1人の女性が乗り合わせていた。緊急地震速報が鳴る。電車は動かない。不安な様子の外国人に英語で状況を教えながら、ふと思う。日本語の分からない人がまだいるかもしれないと。

乗務員の了解を得て車内放送用のマイクで英語の緊急アナウンスを始めた。運休が決まると、降車するようにとも。混乱なく、多くの外国人がホームへ降りたそうだ。

大阪の放送局に勤めているという、その女性の機転に拍手だ。突然の申し出を受け入れた乗務員にも拍手だ。規則違反ではないかと女性は不安だったようだが、「大変助かった」と受け止めた電鉄の姿勢にも拍手。

災害の続いた２０１８年が終わる。「運休」の張り紙がある駅で外国人が立ち尽くすのをよく見かける1年だった。災害時、鉄道などを利用する遠来の人にどう対応するか、社会の力が問われる年でもあった。

来春からは外国人労働者がさらに増えていく。安心安全の国をうたうなら、もっと柔軟に市民の力を借りたらいい。ちょっといい話からの、これが教訓。

（2018・12・23）

## 震災とスイセン

道端に植えられていたスイセンがつぼみをつけ始めた。そんな季節かと見るうち、大震災とスイセンにまつわるあれこれの話がよみがえってきた。

激しい揺れに襲われて10日ほどたったころか、ここで咲く1輪のスイセンに気づく。足を止め、かがむ。かすかな甘さが漂う。それはいたわりの香りのようだった。

当時の小欄にあったくだり。「崩壊した家の跡に、スイセンが1束供えてあった。小さな白い花が、残された人の悲しみを伝えるように揺れている」。慎み深いあの白さは悲しみに寄り添う色でもあったろう。

俳優山口崇さんの故郷は淡路島だ。大きな被害を受けた翌朝、実家の戸口前に1輪のスイセン。牛乳瓶に生けて、どなたかが置いてくれていたと、本紙への寄稿で触れていた。質素な花の姿に、さりげない優しさ。

神戸の詩人安水稔和さん宅でプランターのスイセンが咲いたのは、大震災の5日後だそうだ。それから毎年、暮れになると花屋さんで切り花2本を買って書斎に置き、新年、そしてあの日を迎えるようにする。「忘れないように。忘れないために」と。

今日はその1月17日。阪神・淡路大震災がたくさんの命を奪った悲しみの日だ。もう26年。忘れないように。忘れないために。道端のつぼみがささやく。

（2021・1・17）

# 被災地の10年

宮城県の女川町(おながわ)には21も浜がある。うち18の高台に石碑が立つ。何度も報道されてきたが、あの日から10年のきょう、おさらいとしてこの碑の話を。

東日本大震災で町が壊滅した春、女川中学校に入学した生徒たちが主人公である。自分たちができることは何だろう。ときに声を詰まらせながら話し合い、みんながうなずいた一つが、記録を残すこと。

21の浜で、津波が到達した地点の少し上に碑を建立しよう。大きな地震があったらここより上へ逃げてと刻もう。1千万円という総費用は1口100円の募金で集めよう、と決めた。修学旅行先でも街頭に立った。

「女川いのちの石碑」と名づけた碑にはそれぞれ、国語の授業で作った句も刻む。こんな作品がある。「夢だけは　壊せなかった　大震災」。裏面に英文などのメッセージもある。たくさんの人に伝えたくて。

活動は終わらない。予定の石碑はあと三つ。数日前の地元紙河北新報で、1基目のリーダーだった中学生の近況を読んだ。津波に母と祖父母を奪われ、今、大学生。「やり切りなさい」。母の声が背を押すという。

家族は？　友だちは？　家は？　つらかった日々が遠ざかる。立って歩こう。できることをやろう。若者たちの後ろ姿に被災地のたどった10年を見る。

（2021・3・11）

## されど、おにぎり

太宰治の『斜陽』で母が子に言う。

「おむすびが、どうしておいしいのだか、知っていますか。あれはね、人間の指で握りしめて作るからですよ」

おにぎり、あるいは、おむすび。冷たくなっていても、ちょっと硬くなっていようと、ほおばったらおいしい。それはにぎった人の気持ちが伝わってくるから。この季節になると実感としてよく分かる。

28年前の今ごろ、崩れた街へ、各地からたくさんのおにぎりが届いた。農家のみなさんが集まってにぎったものもある。水道が止まり、ご飯は井戸水で炊いた。別のグループは、それぞれに励ましの一言を添えた。

阪神・淡路大震災での出来事だけに限らない。かなり前のことだが、豪雪で国道の車列が立ち往生したときの話を秋田魁新報で読んだ。何時間も動かないのに気づいた近くの人が、おにぎりをつくって配った。

何人もが名前を尋ねても「なんも、いいってば」。そう言って別の車へ。1軒が始め、地域のお宅が次々と。耳にした記者が取材を申しこんだが、笑って断った。なぜなら「自分たちも気持ちよかったんだから」。

炊き出しが要るような出来事はもう起きてほしくない。でも、人の指でにぎりしめたものは心を温めると、この時期に思う。たかがおにぎり、されど。

（2023・1・19）

# 冷静に、冷静に

元副総理、後藤田正晴さんは「カミソリ」と呼ばれた。判断力にすぐれていたからだ。中曽根内閣での官房長官時代、部下へ示した仕事の心得は、「後藤田五訓」として語り継がれる。

その1、省益を忘れ、国益を思え。その2、悪い本当の事実を報告せよ。その3、勇気をもって意見具申せよ。その4、自分の仕事ではないと言うなかれ。その5には、決定が下ったら従い、命令は実行せよ。

切れ者・後藤田さんらしいのは2、3番目だろう。悪い情報を踏まえないと正しい判断はできない。だから勇気をもって伝えろ、と説いている。仕事についての戒めだが、危機管理のありようとしてもうなずける。

新型コロナウイルスの感染者が千人を超えた。感染者が出た兵庫県内の自治体だけでなく、すべての市や町、保健所、学校、会社…いや社会を支えているあらゆる組織や団体が今、ピリピリしている。危機管理という難しい応用問題と向き合っている。

その道しるべと思って後藤田五訓を読み返すうち、勝手に一つ加えたくなった。その6、うそをつくなかれ。トイレットペーパーが品薄になると、誤った情報を流した愚か者がいる。どんなうそも、組織を間違った方向へ導き、みんなの不安を膨らませる。

冷静に、努めて冷静に。

（2020・3・5）

# 困っている人に手を

あなたがこのお母さんなら、何と言うだろう。小学4年生の息子が履く長靴に穴ができた。夜なべの針仕事でようやく新しい靴を買えたのだが…。学校のげた箱から、その靴が消えた。いくら捜してもない。息子から「とられてしまった」と打ち明けられたお母さんは、針仕事の手を止めずにこう話したという。「もっとかわいそうな子がいたんだよ」

『'11年版ベスト・エッセイ集』（文藝春秋）で読んだ坂下勇輔さんの作品だ。つましい暮らしであっても、よりつらいおうちのことを忘れない。お母さんの一言を心にとどめ、穴のあいた長靴を修理して履き続けたそうだ。

新型コロナウイルス禍で、政府は緊急経済対策を閣議決定した。差し迫った課題の一つが、生活に困っている世帯をどう支えるかである。一律給付の案もあった。曲折を経て、苦しい世帯への30万円給付となった。

災禍と無縁の人はいない。なにがしかの傷を負う。しかしあのお母さんではないが、より厳しい立場のみなさんに思いを寄せたい。たとえば貧困率が50％を超すひとり親のご家庭はきっと、身を硬くしている。

ドイツ・メルケル首相のメッセージが話題になる。率直で、国民の心のひだにしみこんでくる。その言葉を借りれば、今、問われるのは「社会の連帯」。

（2020・4・9）

# 負けてたまるか

きのうに続き、マスクの話から。市民活動に携わる知人からメールが届いた。政府の配る布マスクが不要なら路上生活者（ホームレス）へ、とある。つまり、こういうことだ。布マスクは住まいのある人に届く。とすれば路上生活者は抜け落ちる。配られても使わないなら、日々コロナウイルス禍におびえている人たちへ。ツイッター上でそんな呼びかけが広がっていると、知人は書き添える。

北九州市に事務局があるホームレス支援全国ネットワークに尋ねた。政府の方針が決まってから、寄付したいという問い合わせが毎日10～20件もあるという。ありがたくお受けし、希望する会員団体へ配るそうだ。

そういえば、一律1人10万円の給付について、先日の本紙イイミミ欄でこんな意見を読む。「欲しいお金ではあるけど、本来は困っている所へ配るべき」。市川町で農業を営む60歳の男性だ。よりつらい立場にある方々へ手厚く、という思いにうなずく。

数日前のＮＨＫラジオ、子ども科学電話相談で、水にすむ生き物の専門家が話していた。体が弱くて水槽にまいた餌をとれない金魚がいると、元気な金魚が下から持ち上げ、食べやすくする。そんな映像を見たことがあるよ。

金魚にだって愛があるんだね。

金魚に負けてたまるか。

（2020・4・23）

## まだ一回裏

メモの日付は「4月23日」。耳にした感染症専門家の話が分かりやすかったので、書きとめた。「収束までの道のりで、今はどのあたりか？」と問われ、野球にたとえて答えていた。

「まだ一回裏です。一回表はウイルスの攻撃だった。その戦力を分析し、弱点を見つけ、反撃に入った一回裏です」。さらに続けて、「ただし試合は九回まであります」。

4月23日といえば、新型コロナウイルスの感染が急速に広がり、政府が緊急事態宣言を出した2週間ほど後だ。街を行く人は減り、シャッターだけが目についた。重苦しいあのころが一回裏なら、今は何回の攻防だろう。国内感染者が10万人を超えた。

秋が深まる北の国から、クラスターと呼ばれる感染者集団の報が伝わる。寒くなると部屋を閉め切って換気が悪くなる。それが大敵、という指摘も聞く。感染再拡大におびえる欧州の姿は決して遠い世界ではない。

政府の取り組みを検証した「コロナ民間臨調」の報告が忘れられない。死亡率などは抑えられた。しかし「場当たり的な判断の積み重ねだった」。そして「今後も危機管理がうまくいく保証はない」と断じた。

手洗い、マスク、3密の回避。選手は一生懸命なのに、ベンチの指示が的外れでは勝てる試合だって勝てない。

（2020・11・1）

# まっとうに働こう

「芝浜」という人情噺が古典落語にある。十八番にした一人、立川談志さんが亡くなって今日で10年というので、もう一度聞いた。ご存じの方もいるだろうが、あらためてあらすじを。

酒好きで怠け者の亭主が大金入りの財布を拾った。「天から授かった」と喜んで酔いつぶれ、目が覚めると財布がない。「夢をみたんじゃないのかい」。女房はそう言って、地道に働いて借金を返そうと諭す。

改心して3年がたった大みそか、あの財布が目の前に。実は寝ている間に女房が落とし物として届けたのだが、申し出る人がなく戻ってきたのだ。久しぶりに酒をと思ったが「止そう。また夢になるといけねえ」。

初めて聞いたのはいつだったか。談志さんらしいテンポで話を畳み込んでいくかと思えば、一転して、ゆったりと夫婦の情を語る。戻ってきた財布を前にしての2人のやりとりを聞いていると、ホロリとする。

さて、現代。コロナ禍対策の雇用調整助成金や持続化給付金をだまし取る事件が相次ぐ。官僚が架空の会社をつくって虚偽申請したかと思えば、警視庁の警官までが不正に手を染めていた。よこしまな振る舞いで財布を膨らませる出来事のなんと多いこと。

まっとうに働こうよ、お前さん。人情噺のせりふが聞こえてくる。

（2021・11・21）

編集局長手控え帳❶

## 午前5時46分

目が覚めると、午前４時46分だった。あの瞬間まで、あとちょうど１時間…と思うと、眠れなくなった。

１月17日、午前５時46分。阪神・淡路大震災が起きた時間である。それから丸16年を迎えた朝、同じ分針のところで目覚めたのはなぜだろうと、つい考えてしまったのだ。

大震災の後、５時46分ぴったしに目覚めたことが、２、３度あった。偶然だろうと思っていたら、「私も…」と言う人がいた。記憶は次第に薄れても、体は覚えているのだろうかと、意見が一致した。

恥ずかしい話だが、いまなお、小さな揺れでも怖い。電車が不意にガクンと横揺れするだけで、一瞬身構える。これは体の底に刻まれた恐怖だろうか。湯船につかる時間までずいぶん短くなった。無防備な裸でいる時間を、体が拒んでいるとしか思えない。

涙もろくなったのも、年齢のせいばかりとはいえない。この時期、どうしても震災関連の記事が増える。読みながら、ときに視界がぼやけてくる。あまりに多くの悲しみと頑張りをみてきたので、懸命に苦境と向き合う姿を読むと、もういけない。

１月17日は、できるだけ追悼集会の会場へ行く。ことしも寒風の吹く会場をゆっくり一周した。そして、犠牲者の銘板があるコーナーで足が止まった。

「ばあば」とつぶやきながら１枚の銘板をなでる幼子に、また視界が…。

（2011年１月）

# 第2章
# 街を見つめて

## 美術館での質問

美術館の学芸員が受ける質問で多いのは次の三つという。「これは本物ですか?」「この絵はいくらですか?」「この作品のどこがいいの?」

神戸でのシンポジウム「美術館・博物館はなぜ必要か」でブリヂストン美術館の貝塚健さんが紹介した話である。休館の危機にある芦屋市立美術博物館だけでなく、全般に「冬の時代」という美術館。問題点を語り合うシンポで、この話が一番おもしろかった。

専門家にはつたない質問であっても、本音はここにある。拝金主義みたいではばかるが、作品の価格は知りたい。したり顔で見ていても実はさっぱり分からないことも多い。こんなもやもやが消えないから、ストレスがたまる。

話を聞いて旭川市立旭山動物園のことを思いだした。入園者増で話題になった最北の動物園である。8年前は年間26万人で閉園寸前だったのに、いまは82万人超で全国8位。人口36万人の旭川市以外からもたくさん訪れる。

珍獣はいない。見せ方を工夫すると増えた。二つのオランウータン舎を橋で結んだので、そこを渡る姿が真下から楽しめる。ペンギンを水槽の底からも見えるようにすると、水中を弾丸のように泳ぐのがよく分かる。動物園は子どもが多いのに、ここは子どものような表情に戻る大人が6割を占める。

美術作品と同列にはできないが、ヒントにはなる。作品を展示するだけでなく、学芸員が会場で、作品にまつわるどんな疑問にも答えたらどうだろう、とか。視線をもっと低く。北の国の成功例はそう教える。

（2004・7・6）

# 1円玉のこと

どこからも誕生祝いの言葉を聞かなかったが、6月1日は、1円玉の誕生日だった。生まれて、ちょうど50年になる。

同世代の他の硬貨は、デザインが少し変わったりした。しかし1円玉は、流通し始めた昭和30年からデザインも直径2センチ、重さ1グラムのサイズも同じ。軽くみられてしまう不遇の身も変わらない。さぞ複雑な思いの節目かと思って耳を近づけたら、なんのなんの、こんな元気な声が。

「最低資本金規制特例制度を知ってるか。資本金1円。つまり1円起業が可能になる制度のことだ。元手がなくても会社を起こせるから評判がいい。実際に資本金1円の会社が千社近くできたから、国はこの制度をきちんと法律にして続ける腹づもりだ。どうだ、1円で買える夢や希望のでっかいこと」

「レジに1円玉を置いてる店があるのを知ってるか。募金箱じゃないよ。あれっ1円が…と財布の中を探す人がいたら、これどうぞって使ってもらう1円玉だ。ささやかなサービスだが、これでレジでの時間も短くなる。1円玉で店の印象がよくなるんだから捨てたもんじゃない」

「1円玉が500円も600円もするって知ってるか。平成13年前後は製造枚数が極端に少ないから、ここのところ希少価値が出てきた。おいおい、財布を探すんじゃないよ。傷一つない、まっさらの1円玉しか値打ちはない。関西にはまずないかもしれないって言われてるんだぞ。さもしいやつだなあ」

…と、威勢がいい。遅ればせながら敬意を表して、「満50歳、おめでとう」。


（2005・6・7）

# 誤変換

アナウンサーの読む「羽田元総理」が「旗本総理」と聞こえてしかたない、とかつて俳人がエッセーで書いていた。そんな聞き間違いはよくあるが、パソコンが普及して目立つのは、漢字変換時の間違いだろう。

日本漢字能力検定協会（京都市）が、パソコンやメールでの変換ミスの傑作コンテストを始めている。漢字の重要性を認識してもらう企画に応募は6千点。そこから絞られた候補作22点は、なるほどふき出しそうな間違いばかりである。

海外へ転居した知人から「今年から貝が胃に棲み始めました」のメールが届いた。一瞬驚くような近況だが、「貝が胃」は「海外」の間違いで、応募した人は「まさかここまで魚介類が好きとは…」と仰天ぶりを書き添えた。

上司が部下へ一斉送信した社内メールにこんな文面。「内容を理解したい王子には十分に注意」。正しくは「内容を理解し対応時には十分に注意」。変換ミスと察した社員が職場のあちこちで笑いをこらえたらしい。

担任に「うちの子は耳下腺炎」と伝えるつもりが「時価千円」とした母親。応援に来た女性へ「見に来てくれてありがとう」と書こうとして「ミニ着てくれて」で送ったスポーツ選手。送信後にミスに気づいたようだが、受け取った彼女の心中は？

クイズの台本担当者が「正解はお金」と書きたいのに変換されたのは「政界はお金」。これなどは変換ミスの方が正しそうだ。そういえば、コラム子の使うパソコンは「国会審議」がいつも「国会真偽」になってしまう。はてさて…。

（2005・8・3）

# 方言を大事に

鳥取駅前でタクシーに乗った瞬間、早稲田大学教授の浜本純逸さんは、とても温かい気持ちになった。運転手さんが、こう語りかけたのだ。「ええかな？」

「ドアを閉めますよ」の意味か「出発します」と伝えたいのか、分からない。でもふわりとした地の言葉が、その日一日を楽しくさせた。編者を務めた『現代若者方言詩集』（大修館書店）の中で浜本さんはそう書く。

方言ブームという。東京の女子高校生が会話などに取り入れたのが火つけ役だそうだ。芸能人がお国なまりを披露するテレビの番組が人気を集め、方言の解説本も次々と出た。出版間もないこの詩集からも、若者らの意外なほどの強い愛着が漂う。

「さようなら」は北海道では「したっけねー」。で、こんな詩が。「したっけねーと言うと／また明日も会える気がする」。散らかる部屋に「おっこっこー（おやまあ）」と驚く新潟の母を娘がこうつづる。「母が田舎からやってきた／田舎をつれてやってきた」と。

「食べるき」「行くき」という高知弁を使った「きーきー言いゆうがやけど／猿やないき」に笑ってしまう。兵庫の男性は「めげる」と「壊れる」は違うと断って、続けた。「めげたやったら直りそうやん」。この微妙な言葉のあやがおもしろい。

浜本さんは方言を「母なる言葉」と呼ぶ。なんでもかでも東京の色に染まっていいものか。足元を見直す思いがブームの底流にあるなら、ええことでーか。あっ、失礼、「でーか」は「だろう」の意味。ついコラム子もふるさとの言葉を。

（2006・1・3）

# もっとベンチを

その初老の女性は、重そうなバッグを手に周囲を見回した。わずかしかないベンチは、家族連れが占める。女性は額の汗をふきながら、その場にかがんだ。

人出が約6500万人という大型連休が終わった。日本人のほぼ半数が遊びに出かけた勘定である。まつり会場や娯楽施設は盛況だったが、駅のプラットホームで見かけたこの女性のように、ひと休みできる所の少なさを痛感した人も多いだろう。

この国がいかにやさしくないか、街を歩けばすぐ分かる。腰を下ろすベンチのなんと少ないこと。公園を探し歩いたり、それもあきらめ、喫茶店に入ったりした経験が何度かある。道端は休む所でもあるという考えがまちづくりに欠けている。

かろうじてバス停にはあるが、問題が多い。許可を得ずに置いたものが少なくない。歩道が狭くなるのもお構いなしだし、点字ブロックを覆う無神経なものもある。ならば、きちんとしたベンチを自治体が設ければいいようなものだが、懐が寒い。

が、ここが知恵の絞りどころ。「思い出ベンチ」で市民の寄付を仰ぐ東京都の例もある。ベンチ代を寄付した人の名と「この公園で出会い結婚しました」などの文言をプレートにして背もたれに付ける。この3年間で433基にもなった。

気の利いた旅館だとエレベーター内に小さないすを置いたりする。乗る時間は短いが、この気配りがいい。同様に、小さくても街のあちこちにベンチがあれば、どれほどありがたいか。道端の光景は、街のやさしさを測る物差しでもある。

(2006・5・10)

# 制服の重み

神戸のＪＲ須磨駅に、大きな顕彰碑がある。31年余り前、乗客を助けようとして命を落とした車掌の名前が、深く刻まれている。

年の瀬だった。新快速の通過を待っていた彼は、乗客が線路に落ちたと知る。新快速が迫っていたが、線路に降りて乗客を引き上げようとした。しかし、間に合わなかった。乗客をかばうような姿勢で電車に巻き込まれ、二人とも亡くなった。

この出来事を思いだしてしまう事故が、東京で起きた。線路に入った女性をホーム下の避難場所へ誘導しようとしたベテラン警察官が、電車にはねられて亡くなったのだ。近づく電車にひるまず最後まで女性を助けようとしたと聞けば、胸が痛む。

須磨駅で亡くなった車掌は、責任感の強い若者だった。警視庁の警察官も、まじめな仕事ぶりで住民に親しまれていた。誠実に職務を果たす人々の手で、社会は支えられている。悲しい事故を通じ、あらためてそんな現実を知るのが、つらい。

「制服の重み」も痛感した。「私服ならためらう現場も、制服なら飛び込める」と消防の専任救助隊員から聞いたことがある。正直な言葉だろう。震えそうな現場であれ、制服を着ているなら向かわねばならない。それが使命であり、だからこそ、住民の信頼を得られる。

今回の事故への関心は強い。だが、いっときの話題で終わってはいけない。須磨駅の碑を見に行くと、だれが手向けたのか、新しい菊が供えられていた。31年を経ても、若者の勇気を忘れない人がいる。日だまりの菊が輝いていた。


（2007・2・14）

# ふりかえれば、未来

作詞家の阿久悠さんが、こんな話をしていた。日本は戦後、大股で歩いてきたように思う。経済は発展したけれど、大事なものをまたいできたのではないか。それを探す時代だと。

洲本市内で4月、若者たちが「城下町洲本レトロなまち歩き」を計画する。イベントの舞台になるのは、明治から昭和にかけて建った空き店舗だ。

豊岡市出石町では、空き家を活用した旅館が地域活性のモデルとして話題を呼ぶ。こちらは昭和初期の町家を宿に改修した。

いずれも阿久さんの言う「またいでしまったもの」だろう。機能や見栄えでは新しい家にかなわない。だが、古い民家の手触りや温かみは捨て難い。

時代から取り残されたような建物が、新たな魅力として見直される。

好例が大分県豊後高田市にある。勢いを失った商店街をどうよみがえらせるか。悩んだ末、昭和30年代の雰囲気を大事にしようと決めた。「商店街が元気だった最後の時代に戻ろう」というわけだ。

「昭和の町」と銘打った、郷愁漂う商店街は、昨秋で誕生から10年になった。市の人口が2万4000人。そこへ毎年30万人が詰めかける。昨年は40万人を超えた。視察も多く、この1年だけで兵庫の団体を含め63件。

歴史学者木村尚三郎さんの著書に『ふりかえれば、未来』(PHP研究所)がある。新しい驚きを過去から掘り起こすという気の利いたタイトルだ。なるほど、空き家や町並み一つ、見つめ直せば未来がある。


(2012・3・29)

## 地名が物語る

話の接ぎ穂に困ったら、地名について聞けばいい。先輩からそう教わった。地名にはそれぞれの歴史が宿っている。取材先で話が弾むよ、という助言である。

接ぎ穂どころか、宍粟市では今、市名の話で持ちきりだ。『日本の珍地名』（文春新書）の難読・誤読地名番付で西の横綱になったからだ。「しそう」と読めない人は意外に多い。公式会議で「穴栗」と誤記されたこともあるそうだから、地元とすれば頭の痛い話だ。

そこで、読みにくさを逆手にとった動きが出てきた。きのうの紙面にもあったように、楽しみながら地名を覚えてもらうコマーシャル映像を募るという。どんな作品が集まるか楽しみだが、同時に、地名の由来を学び直す良い機会にもなるだろう。

東の横綱は千葉県匝瑳（そうさ）市である。両市のホームページによれば、宍粟の名をたぐれば播磨国風土記の「しさはのこおり」に行きつき、匝瑳もいにしえの地名「さふさごおり」にたどりつく。両横綱とも、読みにくさを裏返せば厚い歴史が潜む。

播磨の生んだ民俗学者柳田国男の『地名の研究』に、こんな趣旨のくだりがある。権力者が強いた場合を除き、生活する上で必要だから地名はできた。その「命名の動機」を掘り起こし、本来の意味を尋ねていきたい―と。

宍粟に限らず兵庫には難読例が多い。柳田さんのように、子どもたちは大人に地名の意味を聞いたらいい。きっと話が弾むよ。

（2012・6・30）

## カメラ知る

「だれにも分かりませんよ」と金を出す。賄賂である。それを押し返しながら「天知る、神知る、我知る、子知る」と諭す。中国の後漢書にある有名な話だ。

「神知る」よりも「地知る」の方が耳になじむ人もいるだろう。意味は変わらない。悪いことはいつか露見するという「四知」の戒めだが、現代なら一つ加えて「五知」になりそうだ。五つ目は「カメラ知る」である。

容疑者が逮捕されたパソコン遠隔操作事件が典型例だろう。舞台の一つ、神奈川・江の島にある防犯カメラが容疑者とバイクをとらえていた。そこから住むマンションまで突き止めたのだから映像がなければさて…である。

狭い江の島に、35台もの防犯カメラがあるそうだ。これでは、どこを歩いても映像に残ってしまう。住むマンションにも24台。容疑者の乗るバイクがどこをどう走ったかまで分かったようだから、街に監視の網である。

プライバシーは大丈夫か、ルールが必要ではないか…と懸念の声があろうとも、事件捜査の成果もあって、増加ペースは緩まない。日本国内に300万、いや350万台以上とも。世界一といわれ、首都を1日歩けば300回は写るという英国の背中に指先が触れそうだ。

不審者を追跡して映像を送る。そんな小型飛行監視ロボットの話題を目にした。やがて蚊のように飛ぶカメラが生まれるかもしれぬ。そら、職場であくびをするあなたの頭上に。

（2013・2・15）

# 喫茶店の話

６００メートルコーヒー、というのがある。10年余り前、ある業界誌に博報堂生活総合研究所の大田雅和さんが書いていて、印象に残った。

駅から喫茶店までの距離とコーヒーの値段を東京で調べてみた。離れるほどに安くなる値段が、６００メートルあたりで少し上がる。いちげんの客より、個性的な雰囲気を好んで来る人が多いからと読んだ。それが６００メートルコーヒー、というわけだ。

寂しいことに、なじみ客でにぎわうそんな喫茶店が減ってきた。つい先日の本紙夕刊に、兵庫県喫茶飲食生活衛生同業組合の加盟数が最盛期の４分の1、という記事があった。ホッと一息の場が震災や高齢化で消えている。

人待ちや時間つぶしだけでなく、琥珀(こはく)の1滴で心と体を休めるのが街の喫茶店である。この組合は4月から、店を持ちたい人向けに喫茶の学校を開く。資金の話から接客法までを教えるそうだ。喫茶店ならではの魅力もたっぷり伝えてほしい。

英文学者小田島雄志さんは喫茶店好きで知られる。授業がなければ店で原稿書きなどに没頭する。1軒で1時間半から2時間、別の店に移ってまた没頭。「コーヒー代で時間と空間を買っている」と『珈琲(コーヒー)店のシェイクスピア』(晶文社)にある。

小田島さんが大事にするものがもう一つ。店の人や客同士の語らいである。時間と空間、そして出会い。コーヒー代で買えるものは、ちっちゃな店にもいっぱい詰まっている。

(2013・3・21)

# 受けたい授業

かなうなら一度受けてみたい授業がある。教材は三好達治の詩「雪」。わずか2行なのに、子どもたちに想像力の翼が生える。

〈太郎を眠らせ、太郎の屋根に雪ふりつむ。
次郎を眠らせ、次郎の屋根に雪ふりつむ。〉

さて、と先生が子どもらへ問いかける。「どんな言葉が頭に浮かんだ？」「家は何軒あるかな？」「眠らせたのはだれ？」。みんな懸命になって考える。

夜、こたつ…と単語が並ぶ。家は二つと多くの子が答える。もっとあると、だれかが言う。三郎や四郎だっているけれど省いたのだ、と。眠らせたのはお母さんだと何人もが考える。違う、雪だよ、と思う子もまた多い。

独創的な授業で知られる元小学校教師、向山洋一さんの本にある授業風景だ。今日が三好達治の没後50年と知り、この授業のことを思い出した。教え方も巧みだが、何年たっても三好の詩が子どもの感性を揺さぶるのに驚く。

今も授業で使われているか、寡聞にして知らない。しかし大人が読もうと、屋根が瓦やスレートに変わろうと、この2行の力は衰えない。中野重治の言葉を借りれば「物音というもののまったくないなかでの微妙な音楽」が日本人の心に響く。

幼い頃を三田で過ごし、長じては神戸の親類宅に何度も身を寄せた。兵庫とも縁のある詩人は、活字の中で脈を打つ。

（2014・4・5）

## コウベビーフ

タクシーの運転手さんと車中で世間話をしていたら、神戸を訪れる外国人観光客の話題になった。すると、つい先日、こんな老夫婦を乗せたと、彼の楽しい話が始まった。

海外の豪華クルーズ船が神戸港に入った日のことだ。乗ってきた高齢の夫婦が告げたのは、行き先ではなく「コウベビーフ」。本場の神戸ビーフを食べてみたいのだと察し、専門店へ送り届けた。その時の2人の喜びようときたら…と話は続いた。

とろけるような美味と聞いても、実際に味わう機会がなかったのだろう。どこから来たのか知らないが、欧州の方なら朗報である。欧州連合への神戸ビーフの輸出がおとといから始まった。フランスやドイツの高級レストランに間もなく届く。

機械で削るのが100分の数ミリの薄さになると、日本の職人は「削る」と言わない。「なめる」「さらう」と呼ぶと、作家でもある旋盤工小関智弘さんの本で知る。いわく言い難い繊細な感覚が、日本のものづくりを支える。

食肉の世界も同様だ。職人の手仕事にも似た、細やかな感性と工夫で食感を究めてきた。食べたことはなくても、欧州では神戸ビーフが「高級牛肉の代名詞」になっていると聞いた。お待たせしました、これが本物の味。

食にうるさい欧州である。兵庫のブランドがどう闘うか、吉報を待とう。

（2014・7・10）

# なくし物

世の中、捨てたもんじゃない。先日の本紙イイミミ欄「財布がぽんと置かれ」にそう思う。読み漏らした方のために再録すると。

自動販売機でお茶を買おうと財布を出した。4時間後、その財布がないと気づく。現金3万円にクレジットカードもある。捜しに戻ったら、自販機の傍らに誰かが財布を置いてくれている。現金もそのままと、神戸市長田区に住む73歳の男性から。

『嘘(うそ)みたいな本当の話』(イースト・プレス)という体験集にこんな内容の投稿があったのを思い出す。「10歳の時からこれまでの28年間に、8回財布を落とした。うち6回は誰かが拾ってくれて戻ってきた。日本は良い国だと思う」。書いたのは東京に住む女性。

なくし物の話をもう一つ。米オクラホマに住む農家の男性が、スマートフォンをなくした。穀物を倉庫へ移す作業中に落としたらしい。すっかりあきらめていたら、そのスマホが戻ってきた。それもなくして8カ月もたって。

いきさつはこうだ。長い旅をした穀物は北海道の製粉所に着いた。偶然、穀物の中にスマホを見つけた人が米国にあるJA全農の関連会社へ送り返した。そこで充電し、起動したら男性の連絡先が…とAP通信が伝える。

いずれもささやかな話だが、心地よい。つかの間、汗を忘れさせる暑中見舞いとして皆さんへ。

(2014・7・27)

# 忘れ物

長嶋茂雄さんはわが子を球場へ連れてきたのを忘れ、試合が終わると帰ってしまった。作家浅田次郎さんは自転車でたばこを買いに行き、釣り銭だけを手に帰った。たばこは自販機の取り口に、自転車は置いたまま。

子どもは例外にしても、忘れ物は誰にもある。何かに没頭するとうっかりが増える。本で読んだお二人の失敗談には笑ったが、ときに忘れ物が縁結び役になることもあると、つい先日の本紙記事で知る。

山陽電鉄と台湾鉄路管理局が明日、姉妹鉄道協定を結ぶ。遠く離れた両者をつないだのは、山電の車内に忘れた台湾人観光客の携帯電話である。駅員の親切な対応で無事に山陽姫路駅で見つかった。感謝の思いが交流を生み、協定にまで進む。

データは持ち合わせないが、忘れ物が持ち主に戻るのは外国人が驚くような割合かもしれない。日本人の長所を日本人自身に問う最新調査で、7割以上が勤勉、親切、礼儀正しさを挙げた。国民性はまだ衰えずということか。

以前、1円を拾った幼い子の話を本紙で読んだ。届けを受けた警察官が「ありがとう」と拾得の処理をしてくれた。子どもは大喜びで、という話である。そんな小さな物語が積み重なっての7割だ。

なくし物捜しのおまじないは多々ある。いっそ「ニッポンニッポン」はどうかとひそかに思う。


(2014・12・21)

## どうしたの？

歌舞伎の人気役者十五代目羽左衛門が、パリを旅した時のことだ。戦前の話である。

買い物をしようとして羽左衛門は店の人にこう言った。「こ・れ・い・く・ら」。ゆっくり言えばフランス人にも日本語の意味が伝わるだろうと、梨園の二枚目は考えたようだ。『芸人　その世界』（永六輔著、岩波現代文庫）にある。

クスッときそうなエピソードだが、見渡せば21世紀の今だって似たような話はある。「公園」を示す道路標識に「ｋｏｅｎ」を添える。ローマ字で書けば外国人に意味が伝わると思っているなら、羽左衛門の逸話を笑えない。

観光立国の掛け声がかかり、道路標識の改善が各地で進む。「ｋｏｅｎ」は「ｐａｒｋ」へ、西は「ｎｉｓｈｉ」でなく「ｗｅｓｔ」という具合だ。外国人観光客の多い姫路城周辺では最近、書写山が「Ｓｈｏｓｈａｚａｎ」から「Ｍｔ．Ｓｈｏｓｈａ」になった。

標識もさることながら、もっと大切な心構えがある。道に迷い途方に暮れた欧州出張時のことだ。標識を見ても居場所が分からない。すると老婦人が笑顔で近づいてきて「どうしたの？」。片言の英語で窮状が伝わり、取材先への道順を教わった。

貧しい英語力を棚に上げて思う。困った外国人を見掛けたら「どうしたの？」。笑顔に勝るおもてなしはないと、街角での経験が告げる。

（２０１５・２・８）

# かばんの物語

通勤電車内で数えてみた。バッグ類を持たない人の割合だ。ざっと50人中で2人。母に手を引かれた幼い子と高齢の男性だけ…と思いながらその子をもう一度見ると、かわいいリュックが背中に。

中身はハンカチ1枚かもしれないが、その子は誇らしそうに背負う。〈羅紗（らしゃ）のかばんいちばん大きな青空容（い）れ〉（四ッ谷龍）。青空は無理としても、ささやかな夢や思い出が詰まるのかと想像する。

経済産業省が市区町村別にかばんの出荷額を調べると、豊岡市がトップだった。2位が東京都足立区、3位が大阪市だから、大都市を押しのけての1位である。あの幼い子も含め車内で見たものの何割かは「本籍・豊岡市」。

これまでは革製品・かばんなどの項目で集計をした。今回は市側の依頼でかばんに絞った結果である。狙いが良かった。文字通り「日本一」を名乗れるのだから効果は大きい。

川上弘美さんの小説『センセイの鞄（かばん）』（文藝春秋）は老いた恩師と教え子の恋愛物語である。センセイが亡くなった後、遺品のかばんが届く。会いたくなり、かばんを開けて空っぽの中をのぞく場面が印象に残る。持ち主のぬくもりがし、ほころびまでがいとおしい。それがかばん。

喜びも悲しみも共にする。そんな愛される製品をもっと全国各地へ届ける。日本一の称号がその契機になればいい。

（2016・3・3）

# 関西弁の味

テーマがテーマやから、こっちもちょっと関西弁で。まずは芸歴豊かな女優沢村貞子さんがずっと関西弁恐怖症やった裏話から。

ラジオ番組で京都弁をしゃべらなあかんので、京都生まれの夫から懸命に教わったそうや。ところが放送の後、夫が情けなさそうに言うた。「どこの言葉かと思った」。以来恐怖症と随筆にあった。

名優も悩む抑揚だけやない。一つ間違うたら下品になり、すべってしまう。例えば大阪万博の開催意義を説明した報告書案の関西弁版がそう。評判が悪うて、作った経済産業省が撤回した。読んでみたが、批判された人権意識は論外として、なるほど、総じて暑苦しい。

「思想的にタブー（バブーちゃうで、タブーやで）」「おニューの試みをむっさ考えな」。若手漫才師の掛け合いにも似て、おもろい言う人もおるやろが、言葉が濁ってるな。

かつてはもっと柔らこうて味があった。阪神タイガースのエース村山実さんの引退試合で、女優の浪花千栄子さんが花束を贈り、目を潤ませてこう言うた。「村山はん、ご苦労はんどしたなぁ」。これが関西弁の響き、風合い。ええ機会や、なんとか再認識できんかな。

それはそうと、経産省は関西弁版に挑んだ担当者を叱らんように。意欲は買おう。その度量もない上役を関西弁では、あかんたれと呼ぶ。

（2017・3・16）

# 母の日に

高倉健さんに足袋を送ってきた人がいる。故郷の母である。素足に雪駄姿でヤクザ映画に出る息子を見て、「寒いだろう」と。ジャーナリスト中村竜太郎さんの本『スクープ！』（文藝春秋）にある。

若いころの話だが、健さんは「あの時は泣けたね」としみじみと語ったそうだ。不遇の時代も「辛抱ばい」と励ましていた。銀幕のスターとなっても義理堅く情に厚かったのは、この母がいたからこそだろう。

サトウハチローさんの「ひとの肩に手を置き」という詩を思い出す。〈ぐうたら〉と自らを表す。でも人の嘆きや悩みに耳を傾け、一緒に涙を流せる。お前のそこがいいよとおっしゃるなら——と続け、こう終える。

〈おそれいりますが／それよりまえに／わたしを　このようにした母を／どうか　母をほめてやってください〉

自分一人で生きているかのような血気盛んな年齢を過ぎると、この気持ちが分かる。時代がどれほど移ろうと、社会がいかに変わろうと。

今日は「母の日」だ。数日前、通りがかった花屋さんの店先で、２人の中年男性を見かけた。今日の用意なのか、１人は花束、１人は鉢植えをじっと見ている。あなたがいたから…という思いを後ろ姿に漂わせて。

あの時は泣けたな…。そんなつぶやきまでが伝わってきそうな。

（2017・5・14）

# ノー電柱

４年前に公開された熊切和嘉（かずよし）監督の映画「夏の終（おわ）り」は兵庫県内で撮影を重ねた作品だ。ロケ地の一つが淡路市の棚田。ここを選んだのは、まず海が見えたこと、そして電柱がないこと。

暮らしに欠かせないとはいえ、クモの巣のように電線が覆うのは目障りなものだ。監督でなくとも電柱がないとホッとする。そこでお金も時間もかかるけれど減らそうという動きが、このところ目立ってきた。

本紙の地域版を繰れば、いくつもある。芦屋市は電線を地中に埋める工事に乗り出すし、城下町の篠山市は無電柱化に熱心だ。城崎温泉街でも工事が進む。京都に目をやれば、先斗町（ぽんと）も電柱をなくす構えだそうだ。

どうやら「ノー電柱」には三つの背景があるようだ。大災害で倒れて道路をふさぎ復旧作業を妨げないために。老いた人や体の不自由な人が動きやすいために。それぞれの街の情緒や景観を大事にするために。

少し堅苦しく言えば、脱・経済成長かもしれない。人口が増え、街が元気になる。そんな右肩上がりの時代に電柱も増えた。でもその陰で大事なことを忘れていないかと。

所用で神戸の異人館街を歩いた。ここでも表通りから電柱が消えている。見上げても視野をさえぎるものがない。深呼吸をしたくなる。これはいい。

（2017・6・4）

## 一番いいおにぎり

合宿中のことである。おにぎりの昼食になった。みんなが競って手を伸ばす。ボール集めで遅れた1年生が食べようとしたら、形の崩れたものしか残っていないと知って、監督は怒った。

「1年生はボール拾いをしてくれたんだぞ」。練習は中止になり、夜までミーティングが続いた。「最後に一番いい形のおにぎりが残る野球部を目指そう」。懇々と諭した監督の話に、上級生は涙を浮かべた。

監督とは、東京都立高校の社会科教諭で、野球部を指導した故佐藤道輔さんである。著書『甲子園の心を求めて』（報知新聞社）を熟読した高校野球関係者は多い。名だたる何人もの野球部監督が教えを請うたとも記事で読んだ。

おにぎりの話は日本高野連理事の田名部和裕さんがこの春、僚紙デイリースポーツのコラムで書いていた。全員で戦うとはこういうことかと、心に染み込んだ。情熱と指導力で、赴任した都立4校すべてをシード校に育てたというから、これはうなる。

甲子園を目指す高校野球兵庫大会が今日から始まる。さらに県中学総体、全国高校総体へと、中学生、高校生の汗が光る季節だ。

どんな競技であれ、勝ち負けが最大の関心事だろう。その一方で、仲間を思って一番いいおにぎりが最後に残る光景をいくつも見たい季節でもある。

（2017・7・8）

## 鍛えられた笑い

この手の笑いがテレビから聞こえてくると、倉本聰さんは思わずスイッチを切るそうだ。「高声奇声傍若無人」で、なんでもおちゃらけの種にする。品がないし、人を見下していると。

笑いが嫌いなのではない。質が悪くなったという名脚本家のうっぷんにうなずく人は多いかもしれない。もしもそうお嘆きなら、ちょっと寄席へ出掛けてみるのもいい。鍛えられた生の笑いに勝るものはない。

1年後、その一角を占める神戸の新演芸場名が決まった。一般公募で選ばれたのは「神戸新開地・喜楽館」である。喜び楽しむ。「天満天神繁昌亭」に次ぐ上方落語の定席にふさわしいし、華やかだ。かつての大衆娯楽の街に出囃子（でばやし）の響く日が待ち遠しい。

繁昌亭は今夏、開業から約11年で来場者150万人を超えた。地元商店街にも効果ありと聞く。ではかつてのにぎやかさが新開地にもよみがえるか。これも楽しみだ。

関西人は商いでしゃれ言葉を楽しむ。「ウサギのとんぼ返りや」は「耳が痛いなあ」のぼやきで、「あの人はうどん屋の釜や」は「湯ばっかり（言うばっかり）」の意味。

桂文珍さんの著書から、もう一つお借りしよう。やっと起工式にこぎ着けた皆さんの労に「アリが十匹、サル五匹」。つまり「ありがとう、ござる」。

（2017・8・17）

## 橋が紡ぐお話

エッセイストの遠藤展子（のぶこ）さんは作家藤沢周平さんの長女である。父の作品で一番好きなものは何かと尋ねられると、いつも同じ本を挙げているそうだ。それは短編集『橋ものがたり』。

橋を巡る10編の話からなる。市井に生きる男と女の、切なく、しかし情けに満ちた姿を描く。こちらとあちらをつなぐだけでは、橋は終わらないようだ。その上やたもとから、ささやかな物語が生まれもする。

明石海峡大橋が開通し、きょうで20年である。あっという間に対岸だから、藤沢さんの描くような情緒とは無縁かもしれない。だがじっくりと胸中をうかがえば、作家の世界とは違う「橋ものがたり」があるだろうと思いなから、開通時の記事を読み返す。

「橋でますます淡路が近くなって、昼網の魚が京阪神から注目され、販路拡大の可能性も」。水産会社に勤める24歳の女性がそう話していた。それから20年、あなたの心に膨らんだ願いは実ったのでしょうか。

「フェリーに乗ってる時が唯一の休憩時間だったのに…」とつぶやいたのは若いトラック運転手だった。島を通って徳島から大阪へ野菜を運ぶ。到着までの時間が短くなり、あなたは体が楽になったのでしょうか。

明石海峡版の「橋ものがたり」。どんな物語が映し出されるのか。

（2018・4・5）

## チョーク作戦

海沿いの道を歩いていたら、路上の○が目に入る。三つ、四つ…。何だろうと見れば、○の中に犬のふんがある。おっ、あの作戦がここまで広まってきたか、とつい見入ってしまった。

イエローチョーク作戦と呼ばれる。犬のふんを黄色いチョークで囲い、日時を書き込む。「困ってるぞ」と飼い主に伝えるのが目的だから、ふんはそのままだ。チョークはやがて消えるので、道路も汚さない。

2016年に宇治市が始めた作戦だ。「宇治茶と源氏物語のまち」も犬のふんに頭を痛め、試行錯誤を重ねた。そして着目したのがチョークで印をつける駐車違反の取り締まり方式である。取り入れたら激減した。

評判を聞きつけた市町からの問い合わせや視察は80件を超す。住民にチョークを配る自治体もいくつか出てきた。紙面を繰ると、兵庫県内では三田市の自治会が挑み始めた。ふん害への憤慨は全国共通である。

数日前の本紙発言欄で、小学生が嘆いている。犬のふんが道にたくさん落ちている。臭いし、踏んだら大変だ。「なぜ飼い主がふんを持ち帰らないのかをぼくは疑問に思う」。その通りだね、本当にマナーが悪い。

チョークの○を見て、思う。道は教室の黒板のようだ。教えるのは最低限のマナー、教わるのは落第の大人。

（2018・11・18）

# 関西人て？

大阪の放送作家、新野新（しんのしん）さんが話していた。――確か、桂米朝さんやったと思う。岐阜まで行ったら危ない、と。上方落語の大阪弁がどの地域まで通じるかという話題で、そう言ってた。

通じる範囲は狭かったんです。それを広げた一人は大阪弁でしゃべりまくった明石家さんまやと思う。彼、泥くさくないでしょ。東京の人間にもスーッと受け入れられた。功績大やと僕は思う…と話は続いた。

大阪弁、少し間口を広げて関西弁。その味を全国へ知らせたというなら、このラジオ番組もそうである。ＮＨＫ大阪放送局から全国への生放送「かんさい土曜ほっとタイム」だ。残念ながら、きょうで幕だそうだ。

前身の番組から23年、毎土曜の午後となって15年。出演者のほとんどは大阪や兵庫、京都の出身だから、柔らかい関西の言葉が全国に流れた。週末の昼下がり、くつろいだ気分で聴いた人は少なくないだろう。

関西人と思う瞬間は何かを問う特集が本紙「週刊まなびー」にあった。ある高校生の回答。物を落とし「何してん？」と言われた母が「重力のチェック」。これは笑った。

身の回りのあれこれに笑いの粉をうっすらまぶす。そうすることでギスギスさせない。去りゆく番組を振り返りながら、失いたくない関西の味を思う。

（2019・3・16）

# 残忍すぎる

テレビ欄で名作「飢餓海峡」を見かけた。懐かしくなり、水上勉さんの原作をパラパラとめくるうち、こんな場面が目にとまる。追いかけていた容疑者と出会った元刑事が語りかける。

「人間の心にもどって、さあ、早く真実をうちあけなさい」。追い詰められた男のまぶたから、「汗とも、涙ともわからない滴が出ていた」と、水上さんの筆は進む。

同じ言葉をかけたい。京都アニメーションの放火殺人事件で逮捕された青葉真司容疑者へ、である。死亡する確率が99％という大やけどを負ったが、10カ月もの治療でようやく取り調べを受けられるまで回復した。

まず、問う。放火されたスタジオにいた70人のうち36人が死亡、33人が負傷した。大量のガソリンをまき、火をつければどうなるか、想像しなかったのか。アニメへの夢を無残に奪う理由がどこにあったのか。

さらに、問う。これまでもさまざまな問題を起こした。近隣とのトラブルもあった。しかし壁をつくり、一人で妄想を膨らませた。あの残忍な放火殺人は積み重ねてきた長い時間の果てだろう。なぜそうなったか。

「どのような弁解をしようが…」と京都アニメーションのコメントにある。思いはよく分かる。だが本当のことを聞かないと、どうにもやりきれない。

（2020・5・28）

# 温水洗浄、40年

丹波市にある黒井城跡は険しい山の頂にある。明智光秀ゆかりの城で眺めもいいから、訪れる人は多い。その麓に有料トイレができたと、本紙地域版にあった。それも温水洗浄便座。

20年も前なら「温水？　へえー」かもしれないが、今は「だろうな」か。西脇市立西脇小学校が新しく設けた洋式トイレも温水洗浄便座と、これも昨年の地域版で読んだ。湯で洗うトイレは見慣れた光景になった。

ウォシュレット（ＴＯＴＯ）が登場して、今年で40年になる。歴史的に意義がある「機械遺産」にも8年前に選ばれた。他社の製品を合わせ、温水洗浄の普及率は80％というから、もはや暮らしの一部である。

誕生時の広告コピーが斬新だった。仲畑貴志さんが書いた。新聞広告にはこうある。絵の具を手につけ「手が汚れたら、洗うでしょ」「紙で拭く人っていないよね。どうして」「紙じゃ、ホラ、とれないものね」。そして「おしりだって、洗ってほしい」。

テレビCMもほぼ同じコピーが流れた。「おしり」という響きにドキッとしながら、「なるほど」と思わせた。新しい暮らしが新しい言葉に乗って現れたような。御不浄と呼ぶ場所が生まれ変わるような。きれい好きな日本人の心根をくすぐるような。

日本が見えてくる、40年。

（2020・9・27）

## 消える公衆電話

この仕事に就いたとき、10円玉をできるだけたくさん持ち歩けと教わった。何かと公衆電話の世話になるからだ。だから「取材先ではまず、どこに電話があるか確かめるように」と。

ポケットがジャラジャラと鳴ったのも遠い昔話である。テレホンカードが登場して解放され、携帯電話が普及したから電話を探すこともなくなった。思い出、あれこれ。その公衆電話がさらに減ってしまうという。

現在の4分の1程度にする案を総務省の有識者会議がまとめた。「赤字続きだから」が理由である。新幹線車内の公衆電話も6月には消えていくそうだ。携帯電話は見慣れた街の光景をあっという間に変える。

でも、いざというときの命綱である。誘拐された少女が容疑者のすきを見て逃げ出し、駅の公衆電話から「助けてほしい」と１１０番して保護されたこともある。使い方のイロハは、子どもにはきちんと教えたい。

公衆電話は災害時にもつながりやすい。阪神・淡路大震災のときは長い列ができた。持ち合わせが乏しく、「貸して」と呼びかけたら列のあちこちから10円玉、という話も聞いた。お互いさま精神も伝えたい。

うれしい話もつらい出来事も、10円玉を入れて幕が開く。消えゆく昭和がまた一つと、ちょっと感傷的になる。

（2021・5・13）

# ホッとする話

ラジオ番組で聞いた川柳。〈リモコンが明るいニュース探してる〉。この気分はよく分かる。いただいて、〈めくる手が明るいニュース探してる〉。めくって探した、ちょっといい話。

「携帯電話が家へ届いて」という話を本紙イイミミ欄で読んだ。ある夫婦が、初夏の味覚ネマガリダケを採りに氷ノ山へ行った。帰宅して、夫の携帯がないのに気づく。どうやら竹林で落としてしまったようだ。

それが戻ってきた。届けてくれたのは神戸ナンバーの車に乗った人だ。同じ竹林へ来ていたのか、携帯の落とし主をどうやって知ったのか、よく分からない。車で1時間はかかる。人に尋ね尋ねて、届けてくれた。

「座り込んでいた母を」も心に残った。入院先から出て行った母が無事に保護された。路上で座り込む母に声をかけ、交番まで一緒に行ったのは女子高校生。県の「のじぎく賞」を受けたと、昨日の神戸版に。

しばらく前の社会学者の寄稿。冬、調べもので行った沖縄の図書館は寒かった。でもこの建物は暖房がないという。そうかここは南国…と思って席を空け、戻ってみたら小さな電気ストーブが足元に。職員が少し笑って「私が使っているものでよければ」。

重い話題が目立つ日々。ホッとする話は心のビタミン剤でもある。

（2021・7・11）

編集局長手控え帳❷

# 人生仮免許

作家・山口瞳さんの造語は逸品だった。

30年ほど前だったか、新社会人に対して「人生仮免許」としゃれた。「君たちはまだ一人前じゃない」と辛口に戒めながら、「早く本免許をとれよ」と励ました。

今月、私たちの職場にもその「人生仮免許」の新人記者が入った。みんな、意欲に満ちたいい表情をしている。

初顔合わせの席では、こんな質問を受けた。「思うような記事を書けるまでに何年かかりますか」。私は「10年」と答えた。そんなに…と戸惑ったかもしれない。「一人前」になる期間なんて人それぞれだろうが、わが身を振り返れば「10年」である。

あらゆる分野の取材を経験し、聞く力、書く力を鍛える。残念ながら私は機会を逸したが、見出しを練る体験も欠かせない。そうするうち、おたおたしなくなる。じっくり取り組みたいテーマも見えてくる。ここまで10年。これが振り返っての正直なところだ。

４日付経済面で、お好み焼きチェーン店の経営者が、いいことを言っている。若者は好きなことを仕事にしたがる。しかし「嫌な仕事をどうしたら好きになるか」が大事だと。

読みながら、深くうなずく。そう、「仮免許」の間は、仕事内容が好きだの嫌いだのと言ってはいけない。むだなことなんて一つもないと自分に言い聞かせ、走るしかない。

きっと、そこで流した汗の多さだけが、免許から「仮」を消してくれる。

（2010年４月）

# 第3章

# あの人、この人、加えて…

## 走れ！ウララ

ねえ、ウララ。大変な一日だったね。がらがらだった競馬場が超満員だよ。中央競馬の名手武豊さんが乗るから、すごい騒ぎになった。みんな、それでも負ける君を見に来たんだろうか、初めて勝つ君を楽しみにしたんだろうか。

デビュー以来、一度も勝てずに１０５連敗。同じ地方競馬で、もっと負けてる馬もいるのに、どうして君が人気者になったのかな。ハルウララって名前がいいのかな。のどかで愛くるしくて。直木賞作家が本を出し、ＣＤや切手までできた。映画の話もあるんだよ。

君の走る高知競馬は存続か廃止かの瀬戸際なんだ。ＰＲで「こんな馬もいますよ」って言ったらこの人気だ。高知県外からの観客はこれまで5、6％だったのに、今は半分近くだって。愛媛と香川に次いでどこからのファンが多いと思う。兵庫県だよ。

今までだって、地方競馬で注目を集めた馬はいたんだ。東京の大井競馬から中央に躍り出たハイセイコーは、引退時に歌までできる国民的アイドルだった。岐阜の笠松競馬から中央入りしたオグリキャップは芝コースを席巻した。

2頭ともはい上がる強さがあった。ちょっと堅苦しく言うとね、日本が右肩上がりの時代の象徴だったんだ。でも君は違うよね。そこそこでいい。負けてばかりだけど、いつかはささやかでも幸せをつかめたらっていう気分かな。小柄な背に、日本人のそんな思いが届かなかったかい。

大一番は終わり。動物語ができるドリトル先生なら何て話しかけるだろう。「今日はゆっくりお休み」かな。

（2004・3・23）

## 敗れざる人々

アテネから届く「夏の夜の夢」が終わった。メダルをかざす笑顔であふれた17日間だったが、なぜか敗れた人々の言葉の方が心に残った。

「（金メダルの）夢を夢で終わらせたくない」と言ったのは男子柔道で初戦敗退した高松正裕選手だ。現地で体調を崩し、不本意な五輪となった。仲間がメダルを量産しただけにつらかっただろうが、言い訳をのみ込んでの22歳の一言にこちらも救われた。

体力差を速さと粘りでしのごうとした女子バスケットは10位に終わった。内海知秀監督は「１００パーセント以上の力を発揮しないと世界には勝てない」。「１００パーセント以上」の表現に、高さと戦い続けねばならない宿命と、その壁に挑もうとする決意が二重写しになっていた。

　ベスト8入りできなかった卓球の福原愛選手は、「五輪は楽しかったか」と聞かれて怒った。「楽しむために来たわけじゃないので、わたしは」。周囲はいつまでも彼女を「ちゃん」付けで呼ぶ。しかしいつの間にか、幼さの残るまなざしは懸命に世界をにらんでいた。

　末續慎吾選手は陸上男子100メートルで日本として72年ぶりの決勝進出を目指したが、予選で敗退した。何が足りなかったのか。高野進コーチは「絶対に欠けた部分は埋める」と言って、こう継いだ。「あと4年待って」

　勝者はしばし、感動の余韻に身を浸すことができる。しかし敗者を包み込むのは、自分への歯がゆさと悔しさである。それでもなお前を向こうとする言葉が心を打つ。それぞれの次の4年間がもう始まっている。

（2004・8・31）

## イチローのバット

大リーグを代表する強打者、アレックス・ロドリゲス選手（ヤンキース）は、1本のバットを自宅に飾る。イチロー選手（マリナーズ）から贈られたものだ。

この2人の対談が5年前、スポーツ専門誌『ナンバー』に載っていた。屈指の長距離打者もイチロー選手の打撃には脱帽の様子で、細かい点にも興味がある。例えば、なぜ初球から打てるのか。その心づもりがいつもできているということか、と。

1球目は見送って投手の調子を見がちだ。しかし、イチロー選手は違う。初球から思い切って打っていくことがよくある。その理由をこう説明した。

「自分で振れる準備ができていたら、振りにいく。でも、迷ったら打たない。甘い球が来ても迷いがあったら振らない」

この日は迷いがなかったのだろう。29日（現地）に行われた対レンジャーズ戦で、第1打席の初球を左前に打ち返し、日米通算で3000安打を達成した。ロドリゲス選手がコツを尋ねた初球打ちでの大台というあたりが、いかにも彼らしい。

それにしても、なんてすごい選手だろう。大けがをしない。深刻なスランプにも陥らない。オリックス時代の打撃コーチ、新井宏昌さんの言を借りれば「プレッシャーをことごとく打ち破る強さ」がある。この先、どんな記録を生むか、楽しみだ。

いや、大切な記録を一つ、忘れていた。彼が使ったバットの数だ。担当するメーカーは、16年間で1300本の専用バットをつくった。しかし、使ったのは半分もない。それだけ大事に扱っている。安打数はまねできなくても、この姿勢はみんなの手本になる。

（2008・7・31）

## 自分を励ます

他人を励ますことは、それほど難しくない。心の底から「がんばれ」「もう少しだ」と声をかけることが力になる。しかし自分を励ますのは、意外と難しい。

詩人吉野弘さんは作品「自分自身に」で、そう書き起こしながら、くじけそうなわが身への励まし方にふれる。〈自分がまだひらく花だと／思える間はそう思うがいい〉。ただし〈すこしの気恥ずかしさに耐え／すこしの無理をしてでも〉と。

マラソンランナーの高橋尚子さんが、現役引退を明らかにした。五輪で金メダルに輝いた後、成績はかんばしくなかった。彼女らしい笑顔の引退会見となったが、きっと、失望する声に耐え、痛む体に無理をさせながら、「まだひらく花」と自らを励ます日々だったろう。

登りつめた頂が高いほど、背負うものは重い。高橋さんの場合、切れ味のいいシドニーの快走が、みんなの記憶に焼き付いた。が、心を奮い立たせても鋭さは戻らない。「プロ高橋としての走りを見せられない」との引退の弁は、実に正直だ。

同じ金メダリストの国民栄誉賞受賞者に、柔道家の山下泰裕さんがいる。王者とて、心は鋼ではない。「もしも負ければ、山下だけでなく『日本柔道敗れる』と書かれる」。わが身を励ましながら、最後は重圧との戦いを強いられたと、２０３連勝の柔道家は打ち明けた。

高橋さんの引退会見は記者の拍手で終わった。偶然の一致かもしれないが、20年余り前の山下さんの会見でも拍手がわいた。実績と努力、率直な言葉への敬意や共感がこもっていた。みんなの気持ちを代表しての拍手だよ、Qちゃん。

（2008・10・30）

# 西宮球場の記憶

貝殻を耳に当てると潮騒が聞こえるなら、巨大な商業施設の吹き抜けで耳を澄ませば、何が聞こえるだろう。もしかするとミットの音か、乾いた打球音か。

西日本で最大規模の商業施設「阪急西宮ガーデンズ」が西宮市にできた。阪急西宮スタジアムのあった場所だ。かつては「西宮球場」とも呼ばれた。目を閉じれば、ざわめきの中から、その地に夢をかけた選手たちの声が聞こえてこないか。きのうのにぎわいを見ながら、そんな感傷にしばし浸る。

人気では隣の阪神タイガースに及ばなくとも、阪急ブレーブスには玄人好みの選手がそろっていたのではないか。山田投手の華麗なマウンド。いかにもプロらしい足立投手の粘り。小柄な山口投手の力感や梶本、米田投手の迫力を好んだファンは決して少なくない。

福本選手の足もさることながら、弓岡選手のバントが忘れがたい。1ゲーム犠打4の記録もある。いつだったか、コツを尋ねたら「ポンと転がしゃええんですよ」。ぶっきらぼうな返事の中に職人のにおいがした。その技量をいくらほめようと、ちっともてんぐにならない。

客席の模様も忘れがたい。例えば、巧みなやじで知られた応援団の会長がいた。けん制球で相手チームの走者があわてて帰塁すると、すかさず「いったん出たら、男は帰るな」。これで客席がドッと沸く。通る声とはいえ、空席の目立つスタンドだから響き渡った。

日の当たる世界とは縁遠かった。しかし選手の流した汗は、どの球団より多かっただろう。スタンドは消えても、その地に刻まれた記憶まで消えてはもったいない。


（2008・11・27）

# スカウトの目

１年のうち３６４日は黒子として生きる。晴れ舞台は年に１日だけ。それがプロ野球のスカウトだそうだ。

晴れ舞台とはドラフト会議のことだ。昨日の様子を見ても、話題選手の指名が関心の的だが、スカウトの３６４日間が問われるのはむしろ、３位、４位からの指名ではないか。欠点はある。だが可能性を感じる。そんな若者をどう見極めていくかが腕の見せどころである。

ヤクルトのスカウト部長を務めた片岡宏雄(ひろお)さんは以前、ドラフト指名選手に２種類あると、僚紙デイリースポーツで語っていた。一目ぼれしたか、迷って迷ってエイヤッと飛び降りて決めたか、という。一目ぼれは上位指名、それ以外はこの「エイヤッ」の組だろう。

名うてのスカウトでも時に目が曇る。片岡さんにも悔いの残る選手が2人いるそうだ。阪神の主軸になった掛布雅之さん、三冠王を3度とった落合博満さんだ。2人とも話題に上っていたので自分の目で確かめた。結論は「指名は難しい」だった。

掛布さんはプロとして体が小さいと判断した。落合さんは、打撃はすごいが守備がまずい。ところが、6位指名の掛布さんは猛練習で体が大きくなり、ロッテ3位指名の落合さんは実戦で守備が鍛えられた。だから「ただ後悔」と著書で書く。

これだから人生は面白い。最初に付いた順位なんて関係ない。磨けば輝く原石が交じっていると思って、下位指名の一覧を見る。

（2012・10・26）

# 心へのカンフル剤

冒険家植村直己さんは「夢」という言葉をよく使った。例えば著書の『青春を山に賭けて』(文春文庫)をめくると、こんな表現に出合う。「私の夢は夢を呼び起こし、無限に広がる」

だれかが達成したことをまねない。新しい冒険を考え、限界へ向かっていく。一つの夢を果たすと、また次の夢を見る。北米のマッキンリーで消息を絶ち、そんな冒険人生が終わって、もう30年だ。

故郷豊岡市が設けた植村直己冒険賞は、その夢の続きである。大自然へ果敢に挑む人をたたえる今年の受賞者に、田中幹也(かんや)さんが選ばれた。舞台は厳冬のカナダだ。そこを徒歩やスキーで踏破すること、19年で2万2千キロ。

もちろんたった1人で。

田中さんのホームページでこんな話を読む。体感温度が氷点下80度の地を行くと、日常生活で忘れた「生き物としての緊張感」がよみがえる、と。わが身をさらっと「生き物」と書くあたりに、冒険家らしい感性を見る。

かつての受賞者、大場満郎さんを思い出す。北極海でひどい凍傷になり、両足の指すべてを失いながら、南極大陸の横断を成し遂げた。「やりたいことをやれば、人は輝いてくる」。受賞時に聞いた一言を、今も覚えている。

それぞれの冒険にうなりながら、受賞者の刺激的な言葉に耳を澄ます。冒険賞は年に1度、心に打つカンフル剤だ。

（2014・3・23）

# 辛抱という棒

落語家の桂小金治さんに印象深い言葉がある。「辛抱という棒に花が咲く」。本当はもう少し長いのだが、意訳すればこうなる。父の教えだそうだ。

この人にも辛抱の花が咲いた。俳優福本清三さん。チャンバラ映画で斬られること5万回、日本一の斬られ役と話題になり、71歳にして初の主役に起用された。その映画「太秦ライムライト」が神戸国際松竹などで上映中だ。

兵庫県香美町に生まれ、中学卒業後に東映に入る。いわゆる大部屋で、丁寧な演技指導は受けていない。そんなある日、中村錦之助さん（後の萬屋錦之介）から言われた。「お前、死に方が上手だな」。自信が芽吹いた。

しかし主役より目立ってはいけない。実際に刀を体へ当ててくるスターがいたら「どうぞ、そうなさってください」。言いながら痛くないよう台本を懐へ。俳優人生をつづった『どこかで誰かが見ていてくれる』（集英社）の一場面だ。

１００人はいた斬られ役は十数人に減った。老優の哀感、チャンバラの盛衰が主題の映画は、そのまま福本さんの物語である。斬る人ばかりでいいものかと、銀幕からつぶやきが聞こえてきそうだ。

試写会では松方弘樹さん、萬田久子さんらと舞台に並んだ。真ん中は落ち着かないのか、いつの間にかほんの少し後ずさりしている。辛抱の花は照れながら咲く。

（２０１４・６・17）

# プロの味

台湾与党、国民党の朱立倫主席は野球好きで通る。少し前、こんな話をしたと話題になった。「国民党にスター選手はいらない。必要なのは複数の黒田博樹」。ココロは「忍耐強く、役に立つ」。

今季、古巣の広島カープに戻った黒田投手のことである。想像するに、大リーグでの姿が主席の胸を打ったようだ。黙々と投げる。ピンチでは気持ちを強く持ち苦境をしのぐ。こんな人材がもっと欲しい…ということか。

先ごろ年俸6億円プラス出来高払いで契約を更改した。現役最高年俸で球団史上最高額と聞いても主席は驚かないだろう。40歳にして11勝8敗。本拠地観客数が初めて200万人を超えた。華やかさはなくともマウンドの姿がファンの心をつかむ。

心をつかむといえば、阪神タイガース代打男、川藤幸三さんの契約更改も忘れがたい。30年余り前だ。球団の引退勧告をはねのけ年俸半減で残った。「男はゼニやない。仕事や」のたんかにファンはほれた。好機に凡打でも球場はどよめいた。

たんかの真意を尋ねたことがある。「そろそろ若手にチャンスをと球団は言う。数字（記録）なんか一つもないが、道を譲るなんてプロやない。はい上がってこそプロ」。こんな個性派選手が多ければもっと楽しいだろうに。

年の瀬、プロ球界の契約更改に人生模様を見る。

（2015・12・20）

# 天空に光る星

ある人が高段の棋士に尋ねた。将棋必勝の虎の巻は可能でしょうか、と。棋士は答えた。「やってやれないことはない」。ただし「丸ビルを五つも建てないと間に合わん」。

ビルの全部屋に書棚を作り、虎の巻を詰める。1手ごとにそこから答えを探して指すしかない。そう聞かされて以来、棋士を見るたびに思う。「この人の頭の中にはビルが何個あるんだろう」。中平邦彦さんの『棋士・その世界』(講談社文庫)にある話だ。

まだ幼さの残るこの少年も、頭の中に幾棟ものビルが立っているのだろう。14歳2カ月で将棋のプロ棋士となる藤井聡太さんだ。14歳7カ月でプロ入りした加藤一二三(ひふみ)九段の記録を塗り替えた。何と62年ぶりの更新である。

将棋の1局は序盤、中盤、終盤に分けられる。最も大事なのはどこかとプロ棋士に問えば、判で押したように終盤と答えるそうだ。知識や経験だけでは語れないものが最終盤にあると、内藤國雄九段が本紙に書いていた。

14歳にしてこの終盤力が秀でているというから、縁台将棋育ちはうなるしかない。現に昨年と今年、「詰(つめ)将棋解答選手権チャンピオン戦」を連覇した。玉を詰ます速さ、正確性を競う競技だ。プロ棋士を押しのけてのことだから、たいしたものだ。

さわやかな雰囲気が漂う少年だ。将棋界の天空に、いい星が生まれた。

(2016・9・11)

# 水の申し子

一人のスポーツ選手の病気が、これほど関心を呼んだことがあっただろうか。東京五輪を目指す競泳女子のエース、池江璃花子（りかこ）さんが白血病の診断を受けた。ニュースは世界を駆ける。

スケールの大きな泳ぎっぷりと受け答えのさわやかさが、みんなの心をわしづかみにした。ワクワクさせた。「璃花子」という漢字の印象も手伝い、周囲が華やいだ。どこをとっても病とは無縁の18歳である。

それだけに、病名を告げられ動揺したようだ。当然だろう。しかしそこからが彼女らしい。ツイッターで「しっかり治療をすれば完治する病気でもあります」「さらに強くなった池江璃花子の姿を見せられるよう頑張っていきたい」。なんと芯の強いこと。

中学3年生で世界選手権代表に選ばれ、泣いた。うれし涙ではない。選考会で一つ年上の高校生に敗れたのが「悔しい」と。負けず嫌いの水の申し子だ。病にも勝って、笑顔でプールに戻ってくる日を待とう。

小林凜（りん）さんはランドセル俳人と呼ばれた。いじめや不登校を経験した小学生のころ、五・七・五に思いを込めて新聞に投稿し、注目を集めた。その1句、12歳のときの作品。

〈冬の薔薇（ばら）立ち向かうこと恐れずに〉

病室で病と闘っている池江さんへ、この17文字を花束にして贈る。

（2019・2・14）

# 棋士視聴率

確か、お笑い界の人だった。ラジオ番組で「芸人視聴率」という言葉を口にした。視聴率といっても、テレビの話ではない。実力のある芸人の舞台を袖で見つめる同業者の多さを指す。

何がうけているのか、どこに芸のすごみがあるか。舞台の袖だけでなく、客席の後ろからもじっと見つめる若手がいる。その数が多いか少ないか。これが芸人視聴率。

もしも「棋士視聴率」があるなら、今年の将棋界最高視聴率は藤井聡太二冠である。先ごろ放送されたテレビ棋戦の銀河戦でも優勝した。これも最年少記録だった。たくさんの棋士が盤面の攻防を見つめただろう。

今年、スポーツ専門誌『ナンバー』が藤井聡太特集を組んだ。増刷を重ねて話題になった異色の特集だ。棋界の重鎮、中原誠さんが取材に答えて「プロがいつまでも見ていたくなる将棋を指しています」。ネットの対局中継は熱くなって見てしまうと。

西川和宏六段が僚紙デイリースポーツに寄せた観戦記から。対局を見て、疑問に思う一手があった。ところが不思議なことに、攻防が進むとこの一手が効き、形勢が良くなっている。とても10代とは…と舌を巻く。

将棋ファンだけでなく、大御所や大先輩も、楽しませ、うならせる。来年、視聴率を脅かす棋士は現れるか。

（2020・12・20）

## 温かい記憶

野球、サッカー、ラグビー…。スポーツの話題で紙面が華やかになってきた。勝ち負けの結果も気にはなるが、見ていて気持ちがぬくもるようなシーンと出合えますように。例えば。

去年のプロ野球日本シリーズでの出来事。ヤクルト青木宣親選手が、胸元に食い込む速球に倒れこんだ。コツンという音が聞こえた。誰もが死球と思い、球審もそう判断したが、青木選手は1塁へ走ろうとしない。

バットの根元、グリップエンドを指さし「当たったのはここ」。次球を打ってアウトになった後、スタンドから拍手が起きた。なぜ拍手？　と当人は思ったかもしれない。でも正直で気持ちのいい場面だった。

ずいぶん前、兵庫県内で開かれたプロゴルフ大会での話。ボールの下にトンボがいた。触ってみたら生きている。さあ、どうしよう。そのまま打ったらトンボは死ぬかもしれない。でもボールを動かせば、1打罰。

その人、福沢義光さんはトンボを逃がした。「生きていると分かったら打とうとは思わない」。1打差の最下位で終わった。賞金の差は4万3千円だという。この話が新聞に載った。小さな記事だったが、愛知県の中学校が道徳の教材にしたと聞いた。

勝ち負けの記憶はいつか薄れる。温かい記憶は、ずっと心でともる。

（2022・3・6）

編集局長手控え帳❸

## ひとつまみの調味料

創刊以来、欠かさずに読むスポーツ雑誌に『ナンバー』（文藝春秋）がある。1980年の発刊だから、もう30年になる。

創刊号に載った山際淳司さんの「江夏の21球」をはじめ読みごたえのあるノンフィクションが多い。プレーの一瞬をとらえた写真も大変すぐれている。加えて、どんな選手であっても、必ず短い経歴が入っていることが意外に効果的だ。

無名の選手であれ、だれもが知るスターであれ、紹介する記事の片隅にいつも略歴がついている。イチローのような超有名人であっても、この流儀は崩さない。

短い行数でも、読む人の興味をそそるのが略歴である。不思議なもので、イチローの略歴までついつい読んでしまう。何度も読んでいるはずなのに、身長や体重に目を通し、自分のサイズと比べてしまう。生年月日を見て、彼がもうベテランの域に達しているのをあらためて知ったりもする。

略歴、軽んずべからず、である。

新聞でも、インタビューや寄稿文には短い経歴を忘れないよう、編集局各部に要請した。これまでに紹介したことがあるから…というのは、編集する側の理屈でしかない。どんな人かの基礎的データは、親切な紙面づくりの大事なポイントだし、読者の新たな発見を誘いもする。

新聞づくりの、ひとつまみの調味料。僕はひそかにそう名づけている。

（2010年６月）

# 第4章
# まつりごとに一言

## ヒマワリの国

ウクライナが揺れている。親ロシアか親欧州連合（ＥＵ）か。大統領選をめぐる与野党の対決は深刻さを増し、国を二分しそうな緊迫感まで漂う。

ウクライナと聞いてピンとくる人は少ないだろう。在留邦人は１２０人ほどである。日本からの投資額もきわめて少ない。そんなウクライナと日本との縁を、思いつくままにいくつか。

ことしで没後１００年のチェーホフは、日本人がもっとも愛する劇作家の一人だ。ロシア生まれだが晩年は温暖なヤルタに住んだ。第２次大戦の末期、連合国が日本の領土問題などを話し合った場所である。日本でも上演回数が多い最後の作「桜の園」はここで書かれた。

スポーツが盛んな国で、日本になじみの選手は数多い。サッカーファンならイタリアで活躍する屈指のストライカー・シェフチェンコを挙げるだろう。陸上競技だと棒高跳びの世界記録を持つ「鳥人」ブブカが忘れがたい。

いや、もっと大事な「縁」がある。チェルノブイリの大惨事は原発列島・日本にとってよそ事ではなかった。旧ソ連の解体後は、国内に残る大量の核兵器が問題になった。「核廃絶」を訴える日本も注視した。ウクライナは結局、すべてをロシアへ移し、「核兵器のない国」を歩み始めた。

その核施設の跡は、どうなったか。在日本大使館に聞くと、ヒマワリ畑になったという。映画「ひまわり」で有名になった、あの畑である。特産物であり、「平和の象徴」として植えられた。ヒマワリを育てる肥沃(ひよく)な大地の民がどんな選択をするか。目を凝らそう。

(2004・11・30)

## ドリルで掘る

芦屋出身のルポライター児玉隆也さんが亡くなって30年になる。がんに倒れるまで、わずか3年間の執筆生活だったが、すぐれた作品をたくさん残した。印象深い一つに「チッソだけが、なぜ」がある。

水俣病に迫るこの作品で、児玉さんは書く。「〈なぜ〉という二文字をドリルに『チッソ』という企業を掘りすすめると、『国家』という岩盤に触れた」。その掘る対象を「アスベスト問題」とすれば、何に触れるだろう。ふとそんなことを考える。

やはり突き当たるのは国だろう。水俣病と同様、政府の動きの鈍さは目に余る。海外で発がん性が指摘された後、20年もほったらかしにした。国民の命や健康より産業や効率性を優先したと指弾されても仕方ない。

今年、米誌タイムが選んだ1950年代のベスト1映画は、黒澤明監督の「生きる」だった。面倒なことを嫌う公務員が主人公で、陳情をたらい回しにするシーンがある。役所の事なかれ主義を描く場面だが、アスベスト問題での対応も似た印象だ。

岩盤はそれだけか。作家柳田邦男さんは本紙の「随想」で、異変に気づくはずの医師の責任を問うた。いや、私たち報道機関も「危ない」としつこく叫ぶべきだった。〈なぜ〉のドリルが当たる岩盤は、日本全体の「ゆるみ」かもしれない。

政府はきのう、アスベストへの総合対策を決めた。患者救済や被害の拡大防止に総力を挙げたい。「生きる」の主人公は最後にはどぶ池を公園に変えた。私たちも「静かな時限爆弾」におびえない社会を残したい。

（2005・7・30）

## もんだの人々

前宮城県知事の浅野史郎さんはよく、「もんだの人々」という造語を使う。なにかにつけて、「―もんだ」と言いたがる人のことだ。

初当選のときから浅野さんは、選挙で団体の推薦を受けなかった。推薦してくれた団体などに借りをつくりたくなかったからだ。ところが、選挙の通に言わせると、「推薦をたくさん受けるのが選挙ってもんだ」となる。推薦を受けない選挙なんて常識外れというわけだ。

これが「もんだの人々」との出会いである。知事に就任すると、「政治とはこういうもんだ」「世の中、こんなもんだ」などなど、ことあるたびに「もんだ」を浴びた。訳知り顔な「もんだ」から、なんの改革も生まれない。

そう感じたと、ラジオ番組で話していた。

もちろん「もんだの人々」は、宮城県にだけ住むわけではない。このところ全国で摘発が続く官製談合事件を見ていると、「公共事業の入札なんて、こんなもんだ」と決めてかかる「もんだの人々」は、全国津々浦々にいるのだと思い知らされる。

権力者の思惑で受注者が決まる、いわゆる「天の声」も、一連の事件報道で久しぶりに目にした。国民の目が厳しくなって、とっくに死に絶えたと思っていたが、なんのなんの。「もんだの人々」の間では、後生大事に温められていたようだ。

談合は税金を食い物にした犯罪である。それを「必要悪」とか「こんなもんだ」で済まされてはたまらない。ここできちんとした談合対策を打ち出せないような政府なら、「美しい国」の看板が泣くってもんだ。

（２００６・12・５）

# 憲法60年

日本国憲法は今日、施行から60年になる。人でいえば、「還暦」。生まれたころに再び戻るのが「還暦」の習わしなら、憲法がどんな雰囲気の中で生まれてきたか、この節目に思い起こすのも大事だろう。

最適の本がある。憲法施行の年、中学生の社会科用教科書として、当時の文部省が発行した『あたらしい憲法のはなし』だ。政府が憲法の条文をどう解釈するかを解説した本ともいえ、復刻本で今も読むことができる。

「みなさん、あたらしい憲法ができました」「このあたらしい憲法をこしらえるために、たくさんの人々が、たいへん苦心をなさいました」。こんな書き出しから始まる。中学1年生が対象だから、ひらがなが多く、平易な言葉遣いで書いている。

「戦争の放棄」の説明では、「兵隊も軍艦も飛行機も、およそ戦争をするためのものは、いっさいもたない」と明快に説く。さらに、「みなさんはけっして心ぼそく思うことはありません。日本は正しいことを、ほかの国よりさきに行ったのです」と言い切っている。

このくだりを「すがすがしい決意」と受け止めたのは、ルポライターの鎌田慧さんだ。いや、「すがすがしさ」は教科書全体を覆う気配でもある。「民主主義」「基本的人権」の活字が弾んでいるように見える。憲法施行の日、神戸では5台の花電車が街を走った。重苦しい時代から解き放たれた象徴がこの憲法だった。

そして60年。改憲論議がかまびすしくなったが、戦後日本の原点ともいえる「すがすがしさ」を忘れたくない。


（2007・5・3）

## 親から子へ

巧みに字を書ける能力は、なかなか親から子へ遺伝しないそうだ。歴史に名を残した書家を見ても、その多くは一代限りと、魚住和晃・神大教授の著書で知った。

もちろん親も子も能書家という実例はある。しかし、なにが親から受け継いだ天分であり、どこが本人の努力によるものか見分けるのは難しい。歴史をつぶさに見る限り、「書の造形に対する感性」は「後天性のもの」と、魚住教授は書く。

自民党新総裁に、福田康夫さんが就いた。25日に首相指名を受ければ、故福田赳夫さんとの日本初の親子首相となる。安倍晋三首相も元首相の孫だから、二世、三世宰相が2人続く。対抗馬の麻生太郎幹事長も首相の孫。そんな総裁選を中継で見ながらつい思いだしたのが、能書家の話だった。

親が上手だから子も…ということは書の世界にはない。あくまで本人の努力次第というから、分かりやすい。では、政界はどうだろう。血筋だけで推されたとは思いたくないが、こうも二世、三世が目立つと、新たな人材をはぐくむ土壌が衰えたのかと心配になる。

福田さんは官房長官として実績を残した。「女房役」の力に異論はないが、首相はまた別である。時代を見る目、政策への信念、国民へ説く言語能力が欠かせない。総裁選で空転した臨時国会が、待ったなしで、それを問う。

父は気の利いた言葉を残した。刹那(せつな)的な世相を「昭和元禄」、石油ショックを「狂乱物価」と表した。まずは政策の中味。そして言語感覚が遺伝しているかどうかにもちょっと注目を。

（2007・9・24）

## 「遺憾」を禁句に

あまりに多用しすぎて、重々しさを失った言葉に「遺憾」がある。悲しさや怒りを伝えたくても、この言葉を使ってしまうと、上っ面の印象しか残らない。

沖縄の少女を暴行した疑いで、米兵が逮捕された。14歳という被害者の年齢を見て、気持ちが激しく波打った。13年前、米海兵隊員が沖縄の小学生女児を暴行した事件を、まざまざと思いだす。やりきれなく、腹立たしい犯罪が、また起きた。

なのに「遺憾」としか語れない人たちがなんと多いことか。外務省の北米局長らは「極めて遺憾」と語り、沖縄担当大使が米側に伝えたのも「遺憾の意」。外交には感情をうまく丸めた表現が必要とは思っても、これではあまりにも軽すぎる。

いくつかの辞書で調べてみたら、「遺憾」には三つの意味がある。心残りなこと、残念、気の毒。どう考えても、残念や気の毒と受け止めるような事件ではない。「甚だ」「極めて」「誠に」を付けて語感を強めようと、受けた衝撃と落差がある。

不祥事のたび、よく「遺憾」が使われるので、いつしか真実味が薄れた。謝っているようで謝っていない。責任をとるようでとらない。壊れた機器への張り紙に「故障」ではなく「調整中」と書くのにも似て、実態を巧みに覆い隠してしまう。

13年前の事件は沖縄県民の反基地感情を強め、普天間飛行場の返還合意につながった。しかし、「遺憾」をどれだけ重ねても、私たちの怒りは米側に伝わらないかもしれない。「遺憾」を禁句にし、率直な思いを託せる言葉はないものか。

（2008・2・13）

# 民主党らしさとは

例えば、海水浴場にアイスクリームの屋台が二つある。より売り上げを伸ばすには砂浜のどこへ店を構えたらいいか。少し前、神戸市内であったシンポジウムで、こんな話題が出た。

離れた場所で競い合うと思いがちだが、そうじゃないという。離れていても、相手が少し中へ寄れば、対抗してこちらも寄る。それを繰り返すうち、結局は真ん中で隣り合う。これが「中心集中」という現象だそうだ。

とかく似たり寄ったりになりがちという例え話だが、昨日の民主党代表選でつい思い出してしまった。民主党が政権を取って3年になる。最初は自民党と離れて店を構えていたのに、気がつけば隣り合っている。そんな指摘をよく耳にするからだ。

今年の6月、本紙地域経済面の人気欄「川柳自慢」に、クスリと笑う投稿があった。〈瓜（うり）三つ見分けのつかぬ自・公・民〉（紀宏）。消費増税をめぐる3党の動きは「瓜二つ」でなく「瓜三つ」。反論はあるだろうが、国民の目にはそう映る。

昨日の決意表明で、野田佳彦首相が「民主党らしい改革」と語調を強めたのは、その危機感からだろう。では「民主党らしい」とは何だろう。他党とはどこがどう違うのだろう。そこをくっきりさせてほしい。二大政党制といいながら、いつの間にか薄い板壁一枚の違いだけなら国民は興ざめる。

冒頭の例え話に戻せば、野田さん、改装した店を構えるのは、浜辺のどこだ。

（2012・9・22）

# 塩ふき臼

「塩ふき臼」と呼ばれる民話がある。海の水はなぜ塩辛くなったかをめぐる話だ。

「回れ」と言えば、回って塩が出てくる不思議な石臼である。その臼が、乗せられた舟から海に落ちてしまう。「止まれ」と命じられていなかったので、海の底でも臼は回り続けて塩を出していく。だから海水は塩辛くなった、というお話である。

安倍政権の打ち出す経済政策「アベノミクス」と石臼の昔話が重なって仕方がない。首相がデフレ対策を口にするたび、まるで回る臼から引き出されるように株や円相場が動く。一昨日に日銀の新たな金融政策が加わって、石臼の回る速さはいっそう増した感である。

思い切った金融政策は、市場を揺さぶる。画期的、いや革命的と、歓迎する声が相次いだ。早速、さらなる株高と円安が臼からほとばしる。見たくもなかった株式の相場を紙面で確かめて、電卓をたたいた方もいるだろう。

しかし、社会がこぞってはやし立てる時ほど慎重に。日銀の政策委員9人がほぼ全員一致というのも、異論を挟めない雰囲気なのかとむしろ気になる。「通貨の番人としての節度と役割を放棄した」（浜矩子・同志社大大学院教授）という手厳しい声も心に留めたい。

うまくいけばいい。でも効果は一時的で、めどの2年が過ぎても回すことにならないか。「止まれ」の命に従わず、世の中をしょっぱくさせないか…と、心配性の心配が膨らむ。


（2013・4・6）

## 国家機密とは

ある日突然、天気予報が消えたらどうなるだろう。仕事や暮らしへの影響は計り知れない。台風が近づいても住民は分からない。

架空の話ではなく、そんな日々が本当にあった。太平洋戦争のさなかである。台風情報も十分に伝わらなかったので住民は準備ができず、大きな被害が出た。それでも気象情報を知らせなかった理由はただ一つ。国を守る軍事機密だったから。

特定秘密保護法案の審議が国会で進む。防衛、外交などの秘密を漏らせば厳罰、という法案だ。対象となる情報は行政機関のトップが判断するという。まさか気象情報までは…と思われる方もおられるだろうが、情報を持つ側はとかく隠したがる。

その衆院特別委員会で自民党の小池百合子元防衛相が、首相の一日を伝える新聞の動静欄を取り上げた。「国民の知る権利（の範囲）を超えているのではないか」。官房長官が「公の首相動向」と否定したが、ほらほらこうして壁は高くなる。

旧ソ連時代に、こんな笑い話があった。初めて訪米したフルシチョフ首相が、自分をネタにして話したものだから話題になった。「フルシチョフは大ばかと言った男が逮捕された。罪名は国家元首侮辱罪と国家機密漏洩（ろうえい）罪」。

こんな話なら笑って済むが、見ざる、言わざる、聞かざるの時代に戻るのはまっぴらごめん。


（2013・11・1）

## 前のめりのニッポン

たまたま泊まったホテルにカジノがあった。米国での話だ。うろうろするうち1人の高齢女性が目に入る。

慣れた手つきでスロットマシンに向かっている。ただし無表情だ。深夜に通りかかるとまだ遊んでいる。翌朝も同じ場所。勝ち負けは分からない。ひたすらのめり込んでいる。

カジノを中心とした統合型リゾート施設を日本でもつくろうという法案の審議が国会で進む。そのやりとりを見聞きしながら、依存症とおぼしきあの女性が頭に浮かぶ。よどんだ朝のカジノでただスロットを押し続ける姿を。

経済に資する、と政府は音頭を取る。いや、いくら振興といっても陰の部分に目をつぶるのは「手段を選ばない姿勢」と先日、兵庫県の井戸知事が反対する考えを示した。共感した人は多いだろう。

さいころ賭博におぼれたローマ帝国の皇帝は何人もいた。膨大な負けを払うため金持ちの財産を没収した者までいたと、増川宏一さんの『さいころ』（法政大学出版局）で知る。いや海外でのギャンブルにはまり、会社に巨額の損失を与えた経営者が日本にもいた。幸を射ようとしながら射幸心は不幸を射抜く。

「日本」をテーマにした新聞広告コンテストの優秀賞を思い出す。2年前の作品だが、前のめりの昨今にこそふさわしい。古い紙幣の聖徳太子がこう諭している。「おちつけ　日本」

（2014・10・19）

# 官邸の胸算用

目釘、というのがある。日本刀の刀身を柄に固定している。戦う直前、緩みの有無を確かめることを「目釘を改める」と言う。

永田町の面々が、おのおのの目釘を改め始めた。解散風が吹き募り、寄ると触るとこの話である。胸を張って「常在戦場」と言いながら、その実、目釘が気になるのだろう。議員向けの大事な政策勉強会はがらがらだそうだ。

首相は何も明言していない。しかし走り始めた皆さんにお尋ねする。何を問う師走の解散総選挙と考えるか。600億円、いやそれ以上といわれる予算を注ぎ込み、有権者にどんな判断を求める選挙なのか。漏れ伝わる話に聞き耳を立ててもうなずける大義はない。

気象予報の業界用語に「一円玉天気」がある。普段の暮らしで一円より細かい硬貨はない。つまりこれ以上小銭に崩せないのが一円。だから崩れそうにない安定した天気のことを内々でこう呼ぶそうだ。

それをもじれば与党は、目下「一円玉天下」である。自民党だけで衆院の議席の半数を軽く超え、勢力は安定する。なのに強いて、という理由は何だろう。内閣支持率に雲がかかる。野党の準備が整わないうちに…と官邸は胸算用をしたのか。

官邸、そして永田町の皆さんにお伝えする。疑問と惑いばかりが膨らみ、目釘を改める姿を冷ややかに見てしまうと。

（2014・11・13）

## 砕けてほしいもの

沖縄を歩くと、同じような表示の石板をあちこちで見る。「石敢當」と書いてある。聞けば「いしがんとう」などと読むそうだ。

魔よけという。街をうろつく忌まわしきものは、なぜかまっすぐに突き進む。三差路や丁字路を曲がれないので、壁にぶつかり付近の家に飛び込む。そうならないよう、ぶつかれば砕け散るというまじないがこの石板だ。

過日、島を訪れてそんな話に耳を傾けるうち、つい想像が膨らむ。忌まわしきものは魔物だけではない。空を切り裂く米軍機の爆音もまた、砕けて消えてほしいものだろう。後を絶たぬ米兵の事故や事件にも石敢當を突きつけたい気分ではないか。

米軍普天間飛行場の辺野古移設に反対する沖縄県の翁長(おなが)知事が、初めて上京した。担当閣僚と面会できたものの、政府は冷ややかである。会談の予定を問われた菅官房長官は「(会談の)打診はない」とけんもほろろの口ぶりだった。溝をどう埋めるか注目していたのに拍子抜けである。

先の総選挙で、沖縄での最大の争点は米軍基地問題だった。ふたを開ければ県内4選挙区すべてで自民候補は敗れた。知事選を含め連戦連敗だ。しこりが政権側にあるにしても、知事自身から沖縄の思いを聞こうともしないようでは狭量に過ぎる。

さて、石敢當が今、砕こうとするのは何だろう。

(2014・12・28)

## 血の通わない答え

あの日の前後、被災地で幾度か耳にした言葉がある。「安倍首相はどうして来ないのか」。疑問や落胆、腹立ちの入り交じる、素朴な問い掛けだった。

あの日とは阪神・淡路大震災20年となった1月17日のことである。兵庫県公館の追悼式典には天皇、皇后両陛下が出席された。参列者名簿を見れば、衆参両院議長、最高裁長官の名前がある。三権の長で来なかったのは、首相ただ1人だった。

国会代表質問で、このことがテーマの一つとなった。中東の過激派による邦人人質事件や経済問題などに関心が集まる。しかし被災地から見ると、首相欠席も見過ごせない事実で、耳を傾けてしまった。

震災20年より中東訪問を優先した理由を問われ、首相はこう答えた。中東の平和と安定は重要で、総合的に検討し判断した。日程を調整した結果、震災10年の時と同じように今回も防災担当相が政府を代表し出席したと。

何と血の通わない答えだろう。多くの命が奪われた大災害である。首相自ら、苦難の歩みをねぎらい励ますべきなのに、その心情が見えない。まず1月17日を動かせぬ大事な日と定め、中東訪問の日程をずらせばいいものを。

似て非なる表現がある。形を繕う「おざなり」、しようともしない「なおざり」。安倍首相の1・17はどうだったか、被災地は見ている。


（2015・1・29）

## 止まって考える

まったく同じ円を二つ描く。それから片方の外側に大きく、もう片方は小さく同心円を描く。さてどちらの円が大きく見えるか。

同じ大きさの円なのに、大きな同心円で囲まれた方が小さく見えてしまう。囲む円が大きいほど小さく見えてくる。不思議な目の錯覚で、デルブーフ錯視と呼ぶ。ベルギーの哲学者が考えたそうだ。

ならばこれは、国会デルブーフ錯視ではないかと独りごちる。安全保障法制をめぐる与党協議である。自衛隊の活動拡大案が、週替わりのように政府から出る。全体像が膨れ上がり、怖いことに一つ一つが小さく見えてくる。

政府の考え方は一通りそろったが、自衛隊海外派遣への歯止めが一つまた一つ、消えていく気配だ。どれ一つとっても与党内で激論が数カ月続いておかしくない案である。それがこちらの理解が追いつかないうちに、「大筋合意」で前へ進む。

吉野弘さんに漢字から詩想の翼を広げた詩がいくつかある。その一つ「『止』戯歌」は「歩」の字を見つめる。〈『歩』は『止』と『少』から出来ています／歩く動作の中に／『止まる』動作が／ほんの『少し』含まれていま す〉。足を止め考えることのススメと読む。

前のめりの政府は足を止めない。懸念した「止まれ」「待った」の声が与党内からなぜ起きないのか。

（2015・3・9）

## 非核神戸方式

空襲を取り上げた昨日に続き、神戸の歴史年表を繰る。１９７５（昭和50）年3月18日。40年前の今日である。重い意味を持つ日として心に刻みたい。

神戸市議会が全会一致で短い決議を採択した日だ。核兵器積載艦艇の神戸港入港拒否に関する決議、という。以来、神戸市は非核証明書のない艦船の入港を認めない。市民の安全を思えば実にまっとう、それでいて実に思い切った考えである。

非核神戸方式と呼ぶ。いわば港の見張り番である。かつて頻繁に寄港していた米艦船も、40年このかた1隻も入っていない。国内で同じような取り組み例はないし、海外のどこかの自治体が実施しているとも聞かない。どうやら神戸だけのようだ。

明文化された条例などはない。お堅く言えば、議会決議を受けた行政措置である。外交や防衛が複雑に絡むので、国内外からいろんな圧力があっただろう。その中で重ねた40年である。歩んできた道をもっと誇っていい。

ただし、先は波高しである。集団的自衛権の行使容認で、軍事面での日米一体化が進む。唯一の被爆国として国是といえる非核が揺らぎかねない。非核証明書を求めても、特定秘密の高い壁がそびえる。

小欄のマス目は末尾の日付を除いてざっと530。神戸の花がしおれないよう、今日は530粒の追肥のつもりで。

（2015・3・18）

## 東京のヒラメ

東京の永田町にはヒラメがたくさん泳いでいるという。安全保障関連法案に反対する自民党元副総裁の山崎拓さんが日本記者クラブの会見でそう嘆く。

上しか見ない魚なので、上司の顔色ばかりうかがうのをよく「ヒラメ」と皮肉る。「ヒラメ裁判官はいらない」と最高裁長官が訓示したこともある。議員も例外ではなく、「うかつに声を上げると出世の妨げになると考えている」と苦々しい。

安保関連法案が審議入りして、明日で1カ月になる。自民推薦の憲法学者までが「違憲」と言い、共同通信の世論調査で過半数が「違憲」。与党公明党を支持する人の6割が今国会の成立に反対していた。疑念ばかりが膨らむ、この1カ月である。

しかし与党内から法案への疑問の声が聞こえてこない。元行革担当相の村上誠一郎さんが「政府は傲慢（ごうまん）」と批判するのを聞くぐらいだ。党の方針とはいえ、国民の疑問に与党議員が口をつぐんでいいのかと、山崎さんならずとも首をかしげる。

米中枢同時テロ後の米議会を思い出す。報復の武力行使に反対の下院議員が1人だけいた。バーバラ・リーという女性議員だ。群れず、屈せず。「民主主義の命は反対する権利があることを認識すること」の一言が印象深い。

では日本の民主主義はどうか。延長国会、永田町の海底を見つめよう。

（2015・6・25）

# 5円硬貨を見て

手元に5円硬貨があれば、見ていただきたい。「五円」の字がある表のデザインだ。よく見れば、三つの図柄で成り立っている。

左から右へ垂れる稲穂がある。重なる横線は水面を表す。周りにギザギザがある穴は歯車だ。発行された1949（昭和24）年以来、組み合わせは変わらない。農業、水産業、工業が国を支える力。デザインには戦後復興への決意が託される。

参加12カ国の閣僚会合で環太平洋連携協定（TPP）が大筋合意した。巨大な経済圏が太平洋を囲んで生まれる。その協定要旨を読みながら、硬貨の願いを思う。工業は大きく育った。しかし後れを取った農業と水産業は大丈夫か。輸入品に勝てる力が備わっているか。

今年5月、神戸新聞文芸の特選俳句にさわやかな一句があった。

〈後継ぎの畑打つ鍬（くわ）の高さかな〉（岸本紀雄）

ふるう鍬までが若々しい。そんな光景が減ってしまった農村部にも大波は遠慮なく押し寄せていくだろう。

TPPは各国議会の承認が欠かせない。安倍首相には農業などへ及ぼす影をきちんと語ってもらいたい。光と影の両面を伝え議論を重ねる。強行採決に踏み切った安保法制審議を繰り返してはいけない。

5円硬貨の裏面にも触れよう。民主国家になった象徴という幼い双葉が二つ。数で押し切るようでは双葉が悲しむ。

（2015・10・8）

## 放言がすぎる

縄のれんをくぐっての世間話ならまだしもだ。政権の中枢にいるお方の発言がまた、物議を醸している。

数日前のことである。東京での会合でこう語った。「債権、株に投資するのは危ないという思い込みが（国民に）ある。あれは正しい」。続けて「われわれの同期生で証券会社に勤めているのは、よほどやばいやつだった」。

年金積立金の運用が兆単位の赤字と発表された直後である。株価下落が足を引っ張っての運用損だ。そこでこの発言だから耳を疑う。危ないと言うのなら、株式へ株式へと流れる運用に待ったを掛けたらいいものを。証券会社としてもこぶしを握りたい気分だろう。

改憲論議に絡み、戦前のドイツ・ナチス政権下の例を引き合いに出したことがある。「いつの間にか変わっていた」「あの手口に学んだら」と。静かな環境の中で論議をという文脈だったが、国内外から厳しい批判を呼んだ。

ずけずけと言うのが持ち味とはいえ、放言の多さはどうしたことか。擁護する人もいるだろう。が、苦笑して「またか…」と聞き流す気にならない。綸言汗の如し。出た汗が戻らないように、ひとたび口にしたことは取り消せない。そう言われてしかるべき立場だ。

と、ここまでだれの話か書かないままできた。書かなくても、すぐに分かるって？　あ、そう。

（2016・9・4）

## 憲法は身分証明書

商社に勤めている、あるいはかつて勤めていたという人たちの「九条の会」がある。戦争放棄を掲げる日本国憲法9条について話し合う集まりだ。ノンフィクション作家の保阪正康さんはその集いに招かれたことがある。講演後の懇談会で、一人の元商社マンが話しかけてきた。世界中で取引をしていくうえで「日本国憲法は身分証明書でした」と言う。

「身分証明書?」と聞き返すと、彼は続けた。私たちは武器や軍事にかかわる取引はしない。そう説明するための「最高の証拠が憲法」であり、戦後日本で踏ん張った「商社マンの一つのプライドでした」と。

以上、保阪さんらの講演録「未来は過去のなかにある」から引用したが、元商社マンの落胆が目に浮かぶ。安倍政権が「防衛装備移転三原則」を閣議決定し、武器などの輸出に踏み切ったのはそれから間もなくだ。

今日は憲法記念日。9条を中心に改憲の是非をめぐる議論があちこちであるだろう。与党の動きは足踏み状態とはいうものの、閣議決定一つで「身分証明書」の効果を奪ってしまう時代の流れに胸騒ぎが募る。

揮毫（きごう）を求められると、保阪さんは「前事不忘　後事之師」と書く。過去の出来事を忘れず、将来への戒めに、という意味である。不忘に揺らぎはないか。

（2018・5・3）

# 片仮名の不快

まるでなぞなぞを出された気分である。サステナブルリカバリー、ソーシャルファーム、ダイナミックプライシング、そしてフルインクルーシブ。東京都知事選が始まる。何人かの立候補予定者の公約を読み、ウーンとうなってしまう。恥ずかしながら、よく知らない片仮名が目につく。字数があふれてしまうので、それぞれの意味を書くのはお許しを。

新型コロナウイルス問題で耳慣れない専門用語が加わって、日本社会が片仮名文化に染まったような感がある。これは以前にも小欄で書いた。その流れがますます強まっている。何の意味だったかと考えてしまう政策や公約が、みんなの胸に届くかな。

そういえば、ある閣僚がコロナ禍でこんな発言をした。「日本語で言えることを片仮名で言う必要はあるのか」。まっとうな意見で、菅官房長官は日本語への読み替えも含め「可能な限り、分かりやすく丁寧な説明に努めたい」と話していたのだが、さて。

つい先日、住んでいる市の広報紙を読んでいたら、感染症予防のページにソーシャルディスタンスというはやりの用語がない。「思いやりの距離」とある。「人との間隔は1～2メートルあけよう」と。年配の方向けのちょっとした気配りだろうが、いいね。

大切なことは、やさしく。

（2020・6・18）

# はぐらかし

「ご飯論法」という絶妙な命名があった。名づけたのは法政大教授の上西充子（みつこ）さんらで、皮肉られたのは当時は厚生労働大臣だった加藤官房長官。何かとはぐらかしが目立ったから、この名称がついた。「朝ご飯は食べましたか」と問われ、「ご飯は食べませんでした」と答えるようなものだと。食べたのはパンだから、うそではないというオチである。

加藤さんの流儀かと思ったら、どうも違う。日本学術会議の任命拒否問題を巡り、自民党がはぐらかし論法を始めた。６人の任命を拒んだ理由は棚に上げ、それより学術会議の在り方に問題ありとおっしゃる。

朝ご飯を食べたかではなく、ご飯の味が…と論点を変えて追及をかわそうとしている。学術会議に疑問があるというなら、任命拒否の問題をきちんと解決してから議論をしたらいい。何と見えすいたやり方だろう。

「塩を運んでいるロバ」というイソップのお話がある。塩を運んでいたら川に落ち、塩が水に溶けて荷が軽くなった。これはいいと思って、海綿を運んでいるときにも川に落ちてみた。すると水を吸った海綿があまりに重く、今度は立てなくなって…。

はぐらかし、論点ずらし。いつもうまくいくとは限らない。背負うのは、水を含むと立てない海綿かもしれぬ。

（2020・10・18）

# 涙の貯金

亡くなる前日のことだ。「起きてる?」と、作家半藤一利さんは布団の中から妻へ声をかけた。驚いて飛び起き「どうしたの?」と尋ねてみたら。

「二千五百年前の人だけど、中国に墨子(ぼくし)という人がいた。あの人はその時代から戦争に反対し続けた。偉いだろう」と言う。「うん」と返したら、「『墨子』を読みなさいよ」と。それが最期の言葉だった。

妻でエッセイストの半藤末利子(まりこ)さんが、インタビューに答えて『週刊文春』で語っている。東京大空襲を経験し、90歳で没するまで平和を願い続けた。どんな戦争にも正義はない。そう説いた墨子を仰ぎ見ながら。

心の底から平和を求めるのに年齢は関係ないだろう。しかし半藤さんに限らず、戦争を肌で知る人の言葉には揺るぎない信念がある。その世代が一人、また一人と去る。語っていた一言一句を胸に刻んでおきたい。

慶応大教授の片山杜秀（もりひで）さんは、戦争体験を「涙の貯金」とたとえる。平和を保ってきたその貯金が尽きたらどうなるだろう。「平和主義の見直しやファシズムの復活も」と考えたくもない想像が膨らむそうだ。

半藤さんはこんなことも言っていた。「日本人は毎年8月に『正気』を取り戻さないと」

私たちは危うい道を歩んでないか。問い直したい、8月15日。

（2021・8・15）

# ロシアのクギ

イソップ寓話（ぐうわ）集に「かべとクギ」という短いお話がある。以下、岩波少年文庫から。

かべがクギに、ひどくさされてこういいました。「なにもわるいことをしないのに、なんだってわたしをさすのだ」。すると、クギはいいました。「わたしのせいではないよ。うしろからつよくわたしをたたく人間のせいだ」。

ウクライナをめぐる現状と重ねて読んでしまう。とがったクギがいくつもいくつも平原の国に刺さり続ける。クギの中でも最悪のクギ、「核」までちらつかせる異様な展開である。強くたたくのは大国ロシア。

「ロシアは核保有国だ。その戦争に勝者はいない」。使うかもしれないぞと公言したのに続いて、つい先日には、核兵器を運用する部隊を戦闘警戒態勢に置くよう国防相へ命令を出している。これほどあからさまに核兵器を口にした指導者がいただろうか。

そのプーチン大統領をファーストネーム「ウラジーミル」で呼ぶ政治家が日本にいる。元首相安倍晋三さんである。27回も会っている。うわべだけの親密さでないなら、「ウラジーミル」を戒めてもらいたい。核で脅すのはまっとうな政治ではないと。

これ以上、幼い子どもたちの涙を見たくない。刺さったクギを一本一本抜いてほしいと切に願う、侵攻1週間。

（2022・3・3）

# 値上げ、値上げ

江戸の民のうっぷん晴らしだろう。「時世のぼり凧（いか）」というおもしろい錦絵がある。描くのは、たくさんの人が凧（たこ）を揚げる光景だ。見ると、空に浮かんだ一つ一つに品物の名がある。

読めるものを拾うと、茶、油、豆、金物、ろうそく…と、暮らしに欠かせないものばかりだ。庶民を苦しめる物価高を描いていて、上にあるほど値上がりがひどい。その真ん中で、ひときわ高く舞っているのは米。

笑いながら苦いものがこみあげる。令和のご時世も「のぼり凧」がいっぱい揚がる。8月の消費者物価指数は31年ぶりの伸び率だった。帝国データバンクによれば10月だけで6500余りの品目が上がりそう。

レーダーに映らない戦闘機を「ステルス」と呼ぶ。そこから「ステルス値上げ」という言葉が生まれた。価格は据え置き、中身を減らす。スーパーの店内へ行くと、値上げと隠れ値上げの谷間を歩くような気分だ。

ここは政治の出番である。ロシアのウクライナ侵攻で輸入価格のタガが外れ、円安にも歯止めがかからない。暮らし向きが厳しくなった国民が望みを失わぬよう、強く、慈しみに満ちたメッセージを出せるか。

でなければ、令和版「時世のぼり凧」の一番下に小さな凧が泳いでいることだろう。「支持率」の名をつけて。

（2022・9・22）

編集局長手控え帳❹

# 聞く力と関西弁

「通話時間は３分間、他人のワルグチ、ウソ、へたな長談義、酔っぱらい、宿題のお相手などは困ります」

こんな但し書き付きで「イイミミ」は始まった。読者の意見を電話で受け付ける神戸新聞の長寿コーナーだ。「ミミ」なので、開設は1971年の「３月３日」。ことしで40年になる。この欄が楽しみで神戸新聞を読んでくれている人は少なくない。

長寿でいて、中身は濃い。受け付け時間になると、２台の専用電話が鳴り始める。「ミミ男」「ミミ子」を名乗る２人の担当者はそこから３時間、受話器を握り続ける。うれしい話、悲しい出来事、腹の立つこと…が次々に入ってくる。それを短くまとめて翌日掲載する。

ピンチヒッターで何度か「ミミ男」になった。長電話にも辛抱強く付き合うのは、大変な作業だ。あっち飛びこっち飛びの話から、相手の言いたいことを聞き出すのも苦労する。常連さんがいるから、「あなた、初めて聞く声やね」と言われ、思わず「すんませんね」と謝ったりしながらの３時間である。

同じようなコーナーを他紙が試みたこともある。身びいきかもしれないが、どうみても「イイミミ」には及ばない。聞き手の力と、関西弁の味は簡単には真似られない。

40年の記念特集を今週末に掲載するので、お楽しみに。ネット社会で人と人をつなぐ方法が次々とできたって、「イイミミ」のこの手作り感覚は決して古びない。　（2011年２月）

# 第5章

# 足を止めて、四季

# ツバメとともに

松尾勝さんは今年もにぎやかな声に包まれている。加古川市のJR駅前にある自転車預かりの店に、たくさんのツバメが巣をつくったのだ。20や30はある。

82歳。事故で視力をほぼ失ったが、その様子はうかがえる。羽音と鳴き声を友にして30年を超す。日中は表のガラス戸を一枚外しツバメの出入り口にする。自転車がフンで汚れたら困るので追い出そうとしたこともある。でも、思い直した。「遠い国から来たんやと思うと不憫(ふびん)でなあ」

9月半ば、1羽残らず店の前の電線に並ぶ。うち1羽が一声鳴くのを合図にそろって飛び立つと、上空を3度回って消える。ぼんやりとしか見えないが、別れのあいさつだと思う。「無事に帰りや」と送り出すその日まで、店内に響く鳴き声がしばらくの連れ合いである。

松尾さんに限らない。ヒナが育つこの時期、ツバメとの交流の話題をよく耳にする。もっとも、毎年同じ親ツバメが来ると思うのは、人間の思い込みかもしれない。寿命が短いし、日本に戻っても同じ巣を選ぶのは半数との調査があるからだ。としても、「戻ってきた」と思いたいし「帰ってこいよ」と送り出したいものだ。

竹中郁の詩に「一夜の宿」がある。夕暮れ時、ツバメが家に飛び込んできた。翌朝、外へ放つ心持ちをこう書いた。〈お忘れでない　つばめさん／お忘れでない／柘榴(ざくろ)の木のある家(うち)なのだよ〉。目を細める詩人の表情が行間に浮かぶ。

ツバメが低く飛ぶと雨が近いといわれる。飛ぶたびに頭をかすめる梅雨も間もなくだ。

（2004・5・30）

## 雨粒の大きさ

雨粒は、見えそうで見えない。秒速4、5メートルの速さで落ちてくるので、絵に描くなら、白い糸のようにしか表せない。しかし一つ一つは、もちろん粒である。

ではどんな粒なのか、だれしも見てみたいものだ。そこで米国の気象学者ベントレーがかつて、こんな方法を思いついた。小麦粉を広げた上に雨粒が落ちれば同じ大きさの粉粒ができるのでは、というアイデアである。

実験の結果を彼がどう受け止めたか分からないが、想像以上に粒が小さいのに驚いたかもしれない。雨粒の直径は、通常で1－2ミリ、大粒でも4ミリ程度だそうだ。落ちるときの空気抵抗で、大きい雨粒も砕けてしまうから、地上に降るときはこのくらいの大きさだという。

しかし最近の雨粒は、もっと大きいのではないか。そう思いたくもなる豪雨が各地で続く。降り始めからの総雨量が１２００ミリの地域まである。雨粒がさらに大きくならない限り、これほどの雨量にならないだろうに、と勝手に思ってしまう。

好ましい天候を「五風十雨」と呼ぶ。五日に一度穏やかな風が吹き、雨が十日に一度。農業に最適の条件で、天下太平をもたらすという意味である。風はともかく、雨は「十雨」どころか「連雨」で、しかも激しい。これでは「太平」もほど遠い。

欧州や米国は熱波にあえいでいる。空に国境はないから、この異変は、どこかでつながっているかもしれない。もしかして、私たちの気づかないうちに、雨粒にまで異変が及んでいないか。生来の心配性が、さらに度を強めそうな夏だ。

（２００６・７・25）

# カラスたちよ

もしも日本語が分かるなら、豊岡のカラスたちよ、ぜひきょうのこの欄を読んでほしい。そして、悪さはしないと約束してほしい。

君たちも知っているだろう。豊岡で放たれたコウノトリにひなが生まれた。自然界では43年ぶりの赤ちゃんだ。巣の中に見えるちっちゃな姿が愛くるしい。人工飼育であっても、わが子を慈しむ本能が親鳥にちゃんと備わっていたことにも驚く。

ずっと以前、コウノトリは人里に住む普通の鳥だった。雄大に舞う光景が消えて、失ったものの大きさを知った。それほど環境が悪くなったと痛感した。人とコウノトリが、もう一度ともに暮らせないか。その願いを託した二世誕生である。

親鳥を驚かさないよう、住民たちは巣塔近くを通らないようにした。取り組みはコウノトリの郷（さと）公園が中心だが、地元の力も合わさって、やっとここまで来た。でも、大変なのはこれから。ひなが巣立つまで気が抜けない。とくにみんなが恐れているのは、君たちやトビが襲わないかということだ。

君たちは賢い。うそかまことか、公園の滑り台で遊んでいたという話まで聞く。知的活動をつかさどる脳の領域が広く、知能はニホンザル並み。これは最近、慶応大教授らがまとめた研究成果だが、だからこそ、ひなの生まれた巣塔付近でうろつく様子を見ていると、心配になってしまう。

せめて、ひなへ寄せる思いの熱さは分かってくれないか。たくさんの夢を背負う小さないのちだ。いくら雑食で知られるとはいえ、希望までついばんではいけない。


（2007・5・22）

# 桜の季節に

秒速にすれば、20センチから25センチ。気象予報士の田代大輔さんが、著書『お天気歳時記』（日本放送出版協会）で紹介している「桜前線」の北上速度である。

ソメイヨシノに限っての話だが、九州から東北北部まで、1カ月ほどかけて桜が次々と咲いていく。計算すると、1日20キロのペースで、1秒間に靴のサイズほど歩むことになる。文字通り、一歩ずつ春は進んでいく。

その靴先が、やっと神戸に届きそうだ。各地の気象台は、目安にしている標本木に5、6輪ほど咲けば「開花」と決めている。神戸海洋気象台の標本木は灘区の王子動物園にある。そのつぼみがむずむずし始めたという。今日か明日には、開花の宣言が出るかもしれない。神戸の平年開花日は30日だから、ちょっと早い。早ければ、これも温暖化の影響かと考えてしまう。遅れれば、何が妨げているのかと気をもみ、平年並みと聞けば、なぜかホッとする。咲けば咲いたで、頭上を覆う華やかさに心が揺さぶられる。不思議な花である。

　昨年6月、神戸新聞文芸の特選になった俳句に〈桜観（み）て懺悔（ざんげ）の気持なぜかあり〉がある。桜を見るうち、不意に懺悔の思いが心に広がっていく。謎めいた世界で、印象深い。選者の山田弘子さんは「桜の花の持つ神秘性なのか」と評していた。そんな桜の季節が、今年も。

　夜更けの道を歩いていたら、鼻先を甘い香りがかすめた。ジンチョウゲである。足を止めて、季節の贈り物を楽しむ。見上げれば、夜の空から冬の険しさが薄れている。夜空に春を告げる「おぼろ前線」があるのなら、これも接近中。

（2008・3・26）

# 新緑を見つめて

山陽電車の須磨浦公園駅を降り右手の坂を少したどると、大きな句碑がある。〈春の海終日（ひねもす）のたりのたりかな〉。よく知られた蕪村の代表作は、このあたりの海を詠んだものらしい。

ベンチで一休みする。花見のざわめきは去り、ツツジも盛りを過ぎた。代わって公園のあるじとなったのは新緑である。柔らかな若葉の間から「のたりのたり」の海が光る。春の海は安らぐが、生まれたばかりの葉っぱは色も手触りも格別だ。

文を練るのにふさわしいのは、馬上、枕上（ちんじょう）、厠上（しじょう）（便所）の「三上」と古人は言った。だれにも邪魔されず、思索にふける場所である。しかし「下」

だって捨てたもんじゃない。新緑の木陰は心をすがすがしくしてくれると、憩いのベンチで思う。

明日から5月。ゴールデンウイークも折り返しである。どこの行楽地も人、人、人だ。株価が上がり、何となく気分まで明るくなって奮発する方もいるだろう。人混みはちょっと…というのなら、ぜひお近くの新緑の下へ。ささやかだが、ぜいたくなひとときである。

いや、自宅でごろんとして新緑を楽しむことだってできる。七七七五の「どどいつ」に、こんな作品がある。〈夜のそよかぜ／心地がよくて／肌に新緑／巻いて寝る〉（木村治子）。『新編どどいつ入門』（三五館）で読んだ。著者の中道風迅洞（ふうじんどう）さんがうーんとうなった一句である。

夜風の冷たさを確かめ、少し窓を開けて寝てみるか。

（2013・4・30）

## ふるさとの山

名著『日本百名山』が世に出て今年で半世紀になる。品格、歴史、個性、おおむね1500メートル以上を基準にしたという著者深田久弥は、日本人と山のかかわりをこう書いた。

「日本人は大ていふるさとの山を持っている。山の大小遠近はあっても、ふるさとの守護神のような山を持っている」。心に生きる山は、いくつになろうと、時代が変わろうと「あたたかく帰郷の人を迎えてくれる」と。

改正祝日法が成立し、新たな祝日「山の日」ができた。2016年から8月11日が、山に親しみ山の恩恵に感謝する日、となる。山に登る中高年が増えているから、百名山など名峰、高峰への視線はいよいよ熱くなりそうだ。

レジャーもいいが、深田の書く「ふるさとの山」を大事にする日になれば、より意義深い。みんなの心に分け入れば、愛した山がそれぞれにあるだろうから。「守護神」と呼ぶには低く不格好でも。

例えば里山。10歳を「2分の1成人式」とする行事で、小学4年生が里山に広葉樹の苗を植える。少し前の本紙丹波版で目にした話だ。同じように、荒れて力を失う山にみんなが思いと汗を注ぐ。そんな祝日になったらいい。

海のない県が八つある。しかし国土の7割近くが森林というこの国で、山のない県はない。島国でありながら、私たちは山の民でもある。

（2014・5・25）

# 北極星

夜更けに家路をたどりながらふと見上げると、頭上高く、北斗七星が浮かぶ。足を止め、ひしゃくの部分を5倍に伸ばしてみる。幼い頃に習った通り、北極星がそこにある。

夜空は春景色である。オリオン座に代わって、天頂の主役は北斗七星になった。いてつく冬はさえざえとして美しい。しかし寒さが緩み、ゆったりした気分で見上げる春の夜空もいいものだ。北極星だってすぐ見つかる。

星の呼び名を調べた北尾浩一さんの『ふるさと星物語』によれば、兵庫県内で海に生きる人たちはかつて、北極星を「ネノホシ」と呼んだ。どっしりとした「根」の意味かと思ったら違う。十二支で北を「子（ね）」と表すからだ。

北極星もわずかに動く。船乗りはそのことを知っていたと、北尾さんの本にある。だからといって、ネノホシへの信頼は揺るがない。見上げればそこにある。変わらぬものがそこにある。その安心感で闇夜へこぎ出せる。

そういえば、あるプロ野球選手がこんな話をしていた。試合中にカッカしたり落ち込んだりすると、動かないものを球場で探したと。１本のポールでいい。見つめるだけで、波立つ心が静まったそうだ。

学年が上がる。進学、就職で新しい世界に入っていく。つい気持ちが不安定になりがちな頃である。その時は見上げてごらん、夜の星を。

（２０１６・４・３）

# 小暑の夕暮れ

平安時代の随筆家、清少納言に一筆啓上。

春はあけぼの、秋は夕暮れ、冬は早朝が良いと『枕草子』に書く。そして「夏は夜」と。月夜は格別で、闇夜にホタルが飛ぶのも趣がある。雨も「をかし」、風情があると添えた。さて千年を経た現代、あなたは「夏は夜」をどう書くだろうか。

今日は二十四節気の一つ、小暑だ。日ごとに暑くなるとされるが、とっくに真夏の気配である。何が「小」かと愚痴の一つも言いたくなるような季節の折り目だ。強い日差しは肌を貫くようだし、降れば降ったで雨は激しく大地をたたく。夜も不快な熱気で汗が浮かぶ。

そんな夜、神戸市垂水区の塩屋谷川沿いを歩いていたら、サワサワという乾いた響きが聞こえた。川岸に並ぶ七夕飾りの音である。しばらく前、地域版で紹介していたのを思い出す。地元の商店会などが10年以上前から続けている、とあった。

失礼して、短冊の願い事を読んでみる。メモを取っていないのでうろ覚えだが、こんなものがあった。「お金持ちになって神戸を買いしめる」「テレビと携帯から離れて本を読む」「富と名誉と美ぼう」…。楽しくて、しばらく暑さを忘れていた。

小暑にして、今日は七夕。ササの葉が揺れる。現代風に「夏は夜」を書くなら「七夕の葉ずれの音もいとをかし」かと、短冊を手に思う。

（2016・7・7）

# 日暮れ時に

日が傾く浜を歩いていたら、西の空をじっと見つめる女性がいた。何かあったかと視線の先をたどると、夕日が播磨灘に沈もうとするところだった。線香花火の球に似た、煮えたぎるような赤い色だ。沈むと空が黄色く染まる。ほてった浜をいたわるように風が吹く。ぜいたくなひとときと思いながら足を止め、同じように西の空に見入ってしまった。

こちらは街中。黒井千次さんがエッセーで、駅のホームで落日に見とれる女性のことを書いていた。ビルが立ち並ぶ一帯で、たまたまその場所からだけ夕日が見える。家路を急ぐ人混みでたった一人、そうと気づいて見つめる姿が「夕日と同じくらいに美しい」と。

夕焼けは一年中見られるが、俳句では夏の季語だ。文芸評論家山本健吉さんの季語解説に従えば、空を染める「景色の壮快さ」からという。いや、それだけだろうかと、ふと思う。

京都に住む知人からの便りに「溽暑（じょくしょ）」の文字がある。不快極まる暑さを意味する言葉だ。そんな真夏の日差しがやっと収まる夕刻、落日や夕焼けに足が止まるのは、疲れた心や体をいたわってくれるからでもあるだろう。

暑さは続く。日暮れ時の空の移ろいが目に入れば、ちょっと立ち止まろう。気持ちが和らぐかもしれない。

〈夕焼くる子らにやさしきことを言ふ〉（三谷昭）

（2016・8・14）

# 荒々しい雨音

雨音が好き、と言う人がいた。「なぜ?」「優しい雨の音を聞いているだけで、気持ちが落ち着いてくるから」

草花を柔らかく打つ。水たまりに小さな輪を描く。シトシト降る雨音は波立つ心を静めてくれると言うあなたにとって、うれしい便りかもしれない。近畿地方が梅雨入りした。平年より1日早い。

雨の音といえば、志賀直哉の「驟雨(しゅうう)」が忘れがたい。にわか雨の様子を自宅の座敷からじっと見つめたエッセーである。字数にして400字詰め原稿用紙1枚ほどだから小欄より短い。その中に擬音語が五つある。

現代風に読みやすくすれば、こうなる。大粒の雨が「バラバラ」と降り、しずくが「ボタボタッ」。本降りの「ザアー」という音が、激しい雷鳴で一変し、「ドウッ」。雨どいが「ドッドッ」と水を吐き出す。

エッセーが書かれて100年以上がたつ。当時と比べ、雨は手荒になった。この30年で、豪雨は3割も増えたそうだ。土砂災害に見舞われた人が「滝のよう」と振り返った雨音を、写実の名手ならどう表すだろう。

ほどよいときに、ほどよく降る。それを「慈雨」と呼ぶ。雨の音が心をもみほぐしもする慈しみの季節であってほしい。「ドウッ」を荒々しくした擬音語が普通になるような梅雨はご免である。

（2018・6・7）

# 秋のにほひ

数日前の発言欄で、加古川市の女性の一文を読む。稲刈りが終わり、わらくずなどが残る田んぼの匂いが好きだと書く。懐かしさがこみ上げ、鼻の奥に眠っていた記憶がよみがえった。

稲わら。じっくりと干し、脱穀したわらは穏やかな匂いがする。生ぐささが薄れ、さわやかな香ばしさを漂わせる。小屋に積み上げられた稲わらにもぐりこむと、気持ちがやさしくなっていくようにも思えた。

秋が深まると、作家稲葉真弓さんが思い出すのも稲わらの匂いという。「陽(ひ)にさらされた藁(わら)の香の清潔なこと」、寝そべったときの「ちくちくと背中を刺す茎のくすぐったさ」。深くうなずきながら読んでしまう。

詩人で俳人、木下夕爾（ゆうじ）さんは広島県福山市生まれで、故郷でずっと薬局を営んだ。合間に田畑の小道を歩いたのだろう。〈今年藁ことしの秋のにほひけり〉の句が残る。今年藁とはその年の新しいわらのこと。

その〈秋のにほひ〉に時代の風が吹き募る。牛の飼料などに使われる稲わらは国内だけでまかなえない。25％が輸入と、農水省の資料にある。肝心のコメにしても人口減の影が覆う。コロナ禍もあって外食がふるわず、価格が落ちた。主食はあえいでいる。

〈秋のにほひ〉は大丈夫か。心配しながら季節は過ぎ、もう立冬。

（2021・11・7）

# 隠れた宝物

北海道の豊頃（とよころ）町は十勝地方にある農業と漁業の町だ。人口3千人余り。真冬、その海岸にカメラを手にした人が各地から集まる。おそらく今朝も。条件が良ければ、極寒の砂浜にたくさんの氷塊が打ち上げられている。朝の光に映え、ことのほか美しい。地元出身の写真家が「ジュエリーアイス」、宝石のような氷、と名をつけたら、一気に知れ渡った。

流氷ではない。十勝川でできた氷が海へ流れ、波でもまれ、角がとれる。透明で、大小さまざま。つい先日、名づけた人がNHKラジオで話していた。ずっと住んでいると、すばらしさが分からないものだと。

そういえば、潮だまりが鏡のようになる父母ケ浜（ちちぶがはま）（香川県三豊市）の魅力に気づいたのも、進学で一度は町を離れていた女性である。「地元の人がここには何もないと思っているのが悔しかった。目線を変えれば美しい場所はたくさんある」。いい言葉だ。

そういえば、をもう一つ。朝来市の竹田城跡が「天空の城」として話題になったのは、地元のアマチュア写真家が撮った作品からだ。もしかしたらと思い、誰もいない山へ通い始めて出合った。川霧に浮かび朝日を浴びる城跡。神さまの贈り物である。

見慣れた景色も見よう一つで、という三つの話。もっとありそうだ。

（2022・2・13）

編集局長手控え帳❺

# 写真の力

かばんの底に、小さなカメラを入れている。目前で何が起きるか分からないからだ。携帯のカメラを使えばいいのだろうが、僕らの世代はどうもなじめない。

新人記者のとき、人命救助の場面に遭遇した。無謀にも線路を横切ろうとして電車にはねられそうになった男を、居合わせた駅員が飛び込んで救ったのだ。ところが、休日だったのでカメラを持っていない。駅員の勇気を伝える決定的瞬間を撮り損ねた悔いから、以来、どこへ行くにもカメラを手放さない。

そのころ目にした１枚の写真にも影響された。舞台は大リーグ。外野手が大飛球を捕ろうとフェンス際でジャンプする。その真上で、最前列の観客がボールをつかもうとしている。観客が思わず手放したコーラの紙カップは、逆さになって…。

だれがボールを捕ったか、コーラはどうなったか。写真は語らない。ただ、見る者が想像するしかない。

そこにいたからこそ撮れる写真。見る者を刺激してやまない写真。いつか僕も…と決意して、かばんに収めたカメラである。

新聞にも動画の波が押し寄せる。しかし、写真の力はなえてはいない。プロらしい感受性と技術に裏打ちされた写真をと、編集の仲間に話している。

で、お前はその後決定的瞬間が撮れたのかって？　いや、準備すれば場面に出合わず。三十数年、神様は背を向けたまま。

（2010年８月）

# 第6章

# 紙の碑として

# 素顔と芸

4月に亡くなった芦屋雁之助さんは穏やかな役者だった。短いインタビューだけの印象だが、ありがちなけれん味がなく、もの足りなさを覚えるほど静かな口調だった。

東京と京都で開かれた「しのぶ会」は、そんな人柄のにじむ風景となった。配られたのが甘党の雁之助さんらしいあんパンで、遺影にささげたのは花ではなく愛飲したコーヒー豆だったと聞くと、この人にふさわしい別れの演出だと感じる。

素顔と芸との落差が激しいほど役者は味が出るものだ。素の自分と役柄が遠いと懸命に演じなければならないからで、雁之助さんがそうだった。かつての人気番組「番頭はんと丁稚どん」で小番頭をいかにも憎々しく演じると、町を歩いていて石を投げられたというし、小心者の役では太った体がなんとも弱々しく見えた。

代表作「裸の大将」も苦労したようだ。モデルの山下清さんに来てもらい、首を前に出し、背を丸める特徴を目に焼き付けて芸を練った。芝居を見た山下さんが「舞台にいるのも清だし、ここにいるのも清だし、どっちが本当の清かな」とつぶやいた逸話は、雁之助さんの勲章である。

落語家は客席を沸かすかどうかが勝負だが、「それだけやない」と言ったのは六代目笑福亭松鶴だ。客の拍手を背に受けて楽屋へ下がるときの「後ろ姿の美しさ」があるか。舞台から消えるまでが芸だと言いたかったのだろう。

舞台公演中に倒れた雁之助さんは芸をまっとうした人生といえる。その後ろ姿には穏やかさにくるんだ「すごみ」すら漂う。

（2004・6・4）

## 本物の笑い

「楷書のような芸」。8日に亡くなった落語家桂吉朝さんへの演芸評論家相羽秋夫さんの評だが、数ある吉朝評のなかで、これが一番当たっていたように思える。

初めて聞いたのが、師匠米朝さん直伝の「明石飛脚」などである。住まいのある尼崎の話題をマクラで笑わせ、絶妙の話芸に観客を引きこんだ。鋭いギャグで爆笑を誘った。日舞や長唄などの素養もうかがわせる端正な高座だった。漢字ならなるほど「楷書」である。

あまりタレント活動をしなかったから、他の上方落語家ほど知名度はない。しかし熱心なファンが多かった。独演会は満員になり、東京でも立ち見が出た。芸風を慕って弟子入りした若者が7人もいる。だれもが一目置く上方落語の代表格だった。

「名人」と呼ばれた東京の落語家が、こんなことを言ったそうだ。自分の芸を好んでくれる人が広い世間にたった1人でもいてくれるなら、それでいい、と。吉朝さんに聞いたわけではないが、芸への思いが人一倍強い人だから、この言葉にうなずいたのではないか。

その東京で4年前、古今亭志ん朝さんが63歳で亡くなった。そして上方の本格派吉朝さんが50歳で。2人とも古典に新しい命を吹きこもうとした。人間描写の巧みさでも似る。東西で次代を担う逸材が相次いで消えたのは、残念でならない。

テレビの中にあふれる軽い笑いは、芸とはいえない。これが練り上げた本物の笑い、という手本をもっと見せてほしかった。吉朝さん、落語人生に「オチ」をつけるのが早すぎまっせ。

(2005・11・11)

## 端然とした人

ぶしつけとは思いながら、作家の吉村昭さんに前触れなしの電話をかけたことがある。４年前のちょうど今ごろだった。昨日の訃報(ふほう)記事を読みながら、そのときのことを思いだした。

本紙「随想」欄にエッセーを数回書いてもらえないか、という依頼である。「仕事が詰まっていて」と吉村さんは渋った。播磨町出身のジョセフ彦、灘の酒、潜水艦…。作品と兵庫の縁をいくつか挙げ、重ねてお願いした。「そうか…、書いてみるか」。淡々とした口調で、引き受けてくれた。綿密な取材が身上だから、全国を歩いている。電話で話しながら、兵庫での取材の記憶がよみがえってきたように思えた。

原稿はファクスでいただいた。ゲラを送ると、折り返し「直し」の入るファクスが届いた。失礼とは思いつつ、どこをどう直したかを見るのが楽しみだった。「てにをは」はもとより、大幅に文を書き換えたこともあった。

史実を丹念に掘り起こし、過度な思い入れのない筆致で名作を残した人である。表現を抑えれば抑えるほど、底に潜む感情が濃く浮かぶ。エッセーであってもそんな流儀が崩れない。文章と格闘している様子が、そのファクスからうかがえた。

『戦艦武蔵』の後書きで、「無数の人間」の「熱っぽい空気」が、戦争を続けさせたと振り返った。では今の世相に同じような空気はないかと尋ねてみたかったが、もう機会はない。端然とした人らしく、最終回のファクスに「これにて失礼」の添え書き。同じ言葉を残し、吉村さんは去ったのかもしれない。

（2006・8・3）

# 爪を立てて

川柳作家の時実新子さんが亡くなった。奔放な作風と生き方にひかれた一ファンとして、残念でならない。味のある文章ももう読めないかと思うと、寂しい。

本紙投稿欄で、長らく選者をしていただいた。たくさんの応募作から特選を選び、短い評を添えてもらうのだが、毎回この選評を読むのが楽しみだった。２００字に満たない字数の中で、男女の愛憎、人生の苦みや喜びが鮮やかに浮かんでいた。

たとえば、〈敗れても女にはなお底がある〉（明石市・清川和音）にはこう書いた。「私も女なればば、この『底』がしっかりとある」「平たくいえば『恨み』である。『執念』である」。笑顔に潜んだ激しさにドキリとする。〈いつだって間違った方選んでる〉（神戸市・鈴木宣子）には、〈間違いは間違い通せ桐の花〉の自作をつけた。「間違い通すしかないのよ、人生も。受け容れて全うするとき、桐の花のような清々しさが得られる」。肩の力を抜いて、とポンと肩をたたくようだ。

読者の世界と共鳴しながら、自分の思いを書く。選評には独特のおもしろさがあるが、時実さんの評には格別の妙味を感じた。波風の多い人生で苦さも甘さもたっぷり知った。そんな人生からにじみ出る一編の物語のような。

その時実さんの作に〈壁に爪立ててカマキリひと休み〉がある。「壁」とは世間のことだろうか。いかにも彼女らしいが、爪を立てたのは壁だけではない。読み手の心にも立った。チクリとした、しかし心地よい痛みを残して、あなたは永久の休みに入った。

（2007・3・13）

# 行動する作家

色違いのミニチュアのいすが、病室にいくつもあった。知人がお見舞いで持ってきたという。「小田さんの考える民主主義だ」と。

1カ月余り前の本紙にあった記事だが、つまりこういうことらしい。それぞれの力は小さくても、志のある市民が集まって、わいわいと意見を交わす。そこから進むべき方向を探る。これが、病室の主人公、作家小田実さんの民主主義というわけだ。

なるほど、代表を務めた「べ平連」（ベトナムに平和を！市民連合）がそうだった。「反戦」の気持ちがあれば、デモで腕を組む人がどこのだれか気にしない。束縛しない運動の流儀が、全国に広がった。小さな渦がやがてうねりになった。

根っこに、少年時代の空襲体験がある。焼けただれたたくさんの遺体を前に立ちすくんだ。だから、戦争を憎む。真っ先に犠牲になる市民へのまなざしを大切にする。さかしらに語られる理屈より、実体験から生まれる考えをなによりも大事にした。

西宮で阪神・淡路大震災に遭遇した。後日、被災地の集会で「空襲体験と重なる」と話すのを聞いた。「東京の専門家なんていらない」とも。被災者自らが考え、行動しようという意味である。「それが本当の思想」の言葉に力がこもった。

そんな数々の記憶を残し、「行動する作家」が亡くなった。戦争、震災、改憲の動きと闘い、末期がんを自ら公表して病とも闘った。「闘う」の2文字がこれほど似合う作家は、他にいただろうか。「たとえ小さな力でも」という声が、耳の奥でまだ響いている。

(2007・8・1)

## 言葉でよみがえらせる

青函連絡船にあった別れの光景は、青函トンネルにはない。しかし、「海峡」を渡る気持ちは変わらないだろう。それを探すのが作詞家と、「津軽海峡・冬景色」を生んだあなたは話した。

「北の宿から」に、「女心の未練でしょう」の一節がある。「─でしょうか」が歌謡曲の定石と知りつつ、あえて言い切った。「過去のデータでヒットは出せても、世の中を塗りつぶすようなエネルギーは出ない」と。

作詞家で小説家。すさまじい仕事量だった。頭の切り替えが大変で、作詞を始める前には「今から作詞家！」と叫んだというあなたは、こう語ったものだ。「短時間で書けた方がいい場合が多い。翌日に持ち越すようなものは思い切って捨てる」。

「ミュージックはあるが、ソングがない」と、よくこぼしてもいた。音への関心は強いのに、いい言葉、鋭い言葉を練ろうとしない。「でも、音だけではその歌は人々の記憶に残らない」と、あなたは必ず言い添えた。

街頭で歌うストリートミュージシャンがおもしろいと話したのも、あなただった。間近にいる人へ歌いかけ、共感してもらうには、歌詞が問われる。「言葉が力を取り戻せば、歌もよみがえる」と、あなたは希望を託した。

五千もの作品と故郷淡路島が舞台の小説などを残し、阿久悠さんが去った。珠玉の一言一言を読み返し、思いだしながら、深くうなずく。そして、思う。「みずみずしいと言われるのが、一番うれしい」と話していた阿久さん。あなたの歌詞や言葉は、いまなお、みずみずしい。


（2007・8・4）

## 鉄腕の思い出

旧西鉄ライオンズの捕手だった和田博実さんがこんな話をしている。投げる直前、打者の狙いを察して投球内容を変えられる投手が、3人いた。稲尾和久、池永正明、東尾修の3投手だ。

『獅子たちの曳光』（赤瀬川隼（しゅん）著、文藝春秋）に書いている。マウンドで振りかぶって打者をにらむ。その瞬間相手に打つ気があるかどうかを見てとる。そこから3人は「フィーリングで臨機応変の投球ができた」と、名投手を振り返った。

プロらしい投球術だが、稲尾さんは投げた後も打者の目を見続けていたそうだ。引っ張るつもりか流すのか。目の動きで意図を知り、打球に備えて一歩を踏み出すためだ。心中が読めなかったのは、ただ1人、長嶋茂雄さんだけと、後に語っている。

その稲尾さんが、すばらしい記録と伝説を残して亡くなった。記録のことはあらためて書くまでもない。注目したいのは、伝説めいた逸話である。打者の表情から、待っている球種、打つ方向を探るあたり、プロらしいすごみに満ちている。

岡崎満義さんがスポーツ専門誌に書く「逆算の投球」にもうなる。例えば、5球目でショートゴロを打たせたいとする。とすれば4球目、3球目になにを投げればいいか。マウンドで決め、その通り投げて抑える。「稲尾投手なら」と思わせる技だ。

記録も大事だが、伝説として語り継がれる逸話の数々が、プロのプロたる魅力だろう。それを体現する選手が少なくなった。「鉄腕」の死を惜しみながら、しばし、躍動感にあふれた投球を思いだしてみる。

（2007・11・14）

## 誇りを与える学問

その昔、飛騨地方に「宿儺（すくな）」という伝説上の人物がいた。日本書紀は悪者だと書く。人々を抑圧し、天皇に逆らったので軍がその命を奪ったと記している。

本当かな、と疑ってみる。飛騨を何度も訪れて、伝承や遺跡、遺物を確かめるうち、こう確信した。建築技術に秀でた人が多い地域だ。彼らを強制労働にかり出す動きに抵抗した人、それが宿儺だと。中央から見れば悪者、だが地元にすれば英雄。

疑ったのは同志社大学名誉教授で考古学者の森浩一さんである。亡くなって10日余り、関連記事を読みながら、著書『考古学へのまなざし』（大巧社）

にある宿儺の話を思い出す。中央の視点を嫌う。常識を疑う。そんな考え方が最後までぶれなかった。

森さんはよく言ったものだ。考古学は地域に勇気を与える学問になってきたと。なるほど飛騨の人々にすれば、地域への誇りを感じる森仮説である。遺跡や遺物を眠りから覚ますだけでなく、地域の優れた文化を解き明かすことも立派な励ましだ。

但馬の遺跡から船団の線刻画が見つかった13年前もそうだった。古墳時代の絵と知って、森さんはこう話した。「日本から大陸へ行こうとする船ではないか。円山川から日本海へ、さらに大陸へ」。この仮説を紙面で読み、兵庫の歴史は何と多彩かと誇らしくなった。

人も地域も、励ましが前を向く力になる。そんな話をもっと聞きたかったと、紙面の写真に語りかける。

（2013・8・18）

## やさしく、深く

詩人の吉野弘さんが亡くなって10日になる。分かりやすい言葉で、それでいて人や社会を深く見つめた作品が多く、小欄もこれまで何度も引用した。

詩人で小説家の清岡卓行さんが「戦後の詩人でおそらくもっとも優しい人格」と評したのが印象深い。なるほど優しさは作品からも漂う。ただし「幸」の字の中に「辛」があると書いた吉野さんの詩にならえば、「優」の中には「憂」が埋もれる。

1926年生まれだから、青春は戦争のただ中にあった。年譜には、徴兵検査を受けて入隊する5日前に敗戦、とある。戦後は労働組合運動に奔走して過労で倒れ、3年もの療養生活を強いられた。

〈二人が睦まじくいるためには／愚かでいるほうがいい〉という「祝婚歌」。〈お父さんが／お前にあげたいものは／健康と／自分を愛する心だ〉と書く「奈々子に」。視線を低くした柔らかいまなざしは、苦い体験を漉して生まれたものだろう。

参考書だけを頼りに韓国語に挑んだことがあるそうだ。勉強するうち、こんな詩ができた。〈韓国語で／馬のことをマルという／言葉のことをマールという／言葉は、駈ける馬だった／熱い思いを伝えるための――〉。詩想の翼は自在に広がる。

亡くなってから、詩集を幾度も繰った。ひづめの音が行間から聞こえそうな不思議な気がした。

（2014・1・25）

# 新喜劇の味わい

場所は大阪・難波の吉本興業。約束の時間通りに、その人は現れた。野球帽に地味なジャケット。どこにも役者のにおいがない。

その人とは、先日亡くなった花紀（はなき）京さんである。吉本新喜劇の創成期を担った看板役者だ。ひょうひょうとした味と絶妙の間合いが客席を沸かせた。

あの取材でうかがった芸談を、花紀さんの口調そのままに書き留める。

僕は、こない思うてきたんです。みんなが走っていたら、独り歩いとこ。みんながバタバタしてたら、他のことをしてよ。その方が目立つんです。ギャグはいらんのです。あれはすたれたら終わりです。

バタバタせんでも、たばこ一つで笑いはとれます。よく行く屋台で、たばこを置いて飲む。隣のおっさんが勝手に吸う。「それ僕のやがな」「何いうてんねん、わしのや」と悪びれん。これはおもろいな思うて舞台で使うてみる。アドリブで。

13年前、体調を崩す直前だ。最後に受けた取材だったかもしれない。あれこれ話すうち、若手の大阪弁を何度も嘆いたのが印象深い。「じゃかましい」「だまっとれ」と「濁った言葉」を使いたがる。おかしみを追い求めた目には懸念が先に立つ。

たばこのアドリブに応じた盟友岡八朗さん逝き、共に舞台を盛り上げた原哲男さんなく。あの頃の新喜劇で育った身として、ただ寂しい。

（2015・8・11）

## 揺さぶる響き

太棹の三味線は音が重く、しかも深い。情感をたたえ、心を揺さぶるように響く。

小柄な体でその太棹を構え、淡路人形浄瑠璃に尽くしてきた義太夫節三味線の人間国宝、鶴澤友路さんが亡くなった。１０３歳である。人形遣い、語りの太夫と息を合わせ、激しい場面では力感たっぷりに、悲しい情景になれば弦を切なく震わせる。至芸の舞台だった。

かつては島内に淡路人形浄瑠璃の座が40以上もあり、全国を巡っていた。地元での公演も多かった。耳で覚え、４歳にして浄瑠璃を語ってみせた早熟の少女、後の友路さんは、技芸に理解のある地だからこそ開いた花だ。

楽屋でじっくり話をうかがったことがある。淡々とした口調だが、三つの単語に力が入った。「気ぃ」「集中」「性根」。大阪に赴き、内弟子の修業で三味線を習った。鍛錬を重ねながら、幼い体に刻み込ませた教えだろう。

こうも言った。「知ってることは、みーんなおっせる（教える）」。子ども会、学校の郷土部、プロの淡路人形座。老いてもなお教えることをいとわなかった。伝統芸能の水脈を細らせてはいけない。その一心と思えた。

教え子は千人だそうだ。淡路人形座のメンバーとなった人もいる。あの太棹はもう聞けない。しかし友路さんのバチさばきは、教え子の手に宿って弦を響かせる。

（2016・12・15）

## 8の物語

グラウンドやスタンドで何度か話をうかがった。このほど73歳で亡くなった報徳学園高校の前陸上部監督、鶴谷邦弘さんである。記憶をたぐり社に残るたくさんの記事を読み返すうち、「8」にまつわる話が多いのに気づく。西脇工業高校と覇を競いながら、駅伝王国・兵庫を築き上げた。なぜ強いのですか。根性論をどう思いますか。監督の役割って何でしょう。そんな問いへこう答えている。

「練習は腹八分がいい」。走れ走れでは、選手はやらされていると思ってしまう。余力を残せば、もっと走りたい、もっと練習したいと、選手自身が思うようになる。

「8の力で勝つ」。全国高校駅伝で初優勝したときの記事にある。10の力を10出せと言うのは酷で、8の力で勝てるようにするのが監督。そこに全力を注いだ人生だった。

「監督業の8割は我慢」。かつては選手を叱り「なにくそ」と思わせようとした。しかしうまくいかず、褒めることが大切と痛感したそうだ。だから練習で厳しく接しても、大会では絶対に怒らなかった。なるほど紙面の表情はどれを見ても穏やかだ。

記事を読み終えて、「8」の続きを思う。7人が力走のたすきをつなげたのは、ゴールで待つ8人目、あなたの笑顔が見たかったからではなかったのか。

（2018・2・1）

# 命を救う台所

ある老舗旅館の主人が話していた。この人が宿泊すると知った調理場はいつにも増して緊張したそうだ。気に入ってもらえるかと。幸い、箸を置いて出たのは「ごちそうさまでした」。

熟練の料理人をもドキドキさせたその人、料理研究家坂本廣子さんが71歳で亡くなった。生まれ育った神戸を中心に、講習会、講演会、新聞などへの寄稿にテレビ番組監修と活動の領域は広く、精力的だった。

かなり前、話題の著書『忙し母さんの手ぬき料理』の取材で会って以来、何度か刺激的な話をうかがった。その記憶などを手繰ると、坂本さんらしい三つの言葉が浮かぶ。

「本物」。食育として子どもに料理を教えるとき、インスタント食品を使わない。包丁も本格派を持たせる。本物を知ったら、まがい物がすぐ分かるようになるから。

「意識改革」。米粉にまつわる話である。使用量は小麦粉に及ばないが、米粉を使ったパンや菓子は増えてきた。みんながもっと使えば田んぼだって残せる。あとは消費者の意識改革よ、と喫茶店の隅で熱っぽく。

「命を救える台所」。阪神・淡路大震災を経験し、力をこめた。電子レンジだけの料理方法を編み、新聞紙を使っての食器づくりにも挑んだ。命を守るそんなアイデアはもう聞けない。悲しい。

（2018・7・5）

## 武骨でもまっすぐに

知らなかったとはいえ、とても失礼な電話をかけてしまった。2002年の年の瀬である。慌ただしい気配だったので「かけ直します」と言うと、その人は「いや…」と話し始めた。

息子さんが病で亡くなったところだという。「でもご心配なく、約束だから」。約束とは年明けからの本紙「随想」への寄稿のこと。確か、きちんと送ります、と継いだ。

電話の相手は、アフガニスタンで凶弾に倒れた医師中村哲(てつ)さんである。悲しい記事を読み返すうち、あのときの声がよみがえる。波立つ心中をうかがわせない穏やかさ、それでいて揺るがぬ信念をはらんだ声。

アフガンとパキスタンでの長い支援も中村さんにすれば人々との約束だろう。医療活動、井戸掘り、用水路建設。きつい日々でも住民の顔を思い浮かべると「もう帰りますとは簡単に言えない」。そう話していた。

裏切られても裏切り返さない。思いやりや愛情を持ち、相手の身になって考える。その気持ちを失わなかったら「どこでもなんとかなります」。物騒な地を丸腰で歩き続けた人の背骨は、武骨でもまっすぐだ。

「随想」で書いた。「人として失えぬ誇りというものがある。私たちは人の命を守る戦いをさらに拡大・強化する」。誇りを砕いたのはどこのどいつだ。

（2019・12・6）

## くしが泣いている

体をムチ打ち、心を削るように歩んだ人を挙げろといわれたら、この方は外せない。少し長くなるが、例えば15年前の今ごろは、こんな日々だった。20日＝脱北者を支援するドイツ人と話し、経済人の集まりに出席。21日＝外務省で審議官と話し合う。22日＝拉致問題についての集会参加で京都へ。23日＝東京へ戻り、テレビ出演。24日＝ラジオ番組の電話取材に応じ、議員会館前で座り込み、テレビに出演。25日＝テレビ出演、座り込み、夜はミニ集会。26日＝座り込みをしながらテレビの質問に答える。夜はミニ集会。

説明無用だろう。87歳で亡くなった横田滋さんである。毎日の行動を克明につづる『めぐみ手帳』（光文社）から引用した。拉致被害者家族会の代表として寸暇を惜しむ日程だ。

まな娘が北朝鮮に拉致され、平穏な暮らしは消えた。心は揺れ体もうめいただろうに表情は穏やかだった。声を荒らげたところも見なかった。巧みな弁舌でなく、実直に思いを伝える方が心を動かす。妻の早紀江さんと連れ立って訴える姿にそう教わった。

拉致される前日、めぐみさんは父にくしを贈った。誕生祝いである。問題が解決して再会できたら、このくしで娘に髪を直してもらう。その日を楽しみにした宝物だ。

きっとくしも泣いている。

（2020・6・7）

# 伸びた背筋

俳優舘ひろしさんが30歳を回ったころの話である。こんな言い回しで怒った人がいた。「ひろし、最近、芝居がうまいな」「それはよくない」と。そこそこうまい俳優はたくさんいるぞ。彼らと競い合ってどうする。もっと人生をかけた芝居をしろよ。そう受け止めたと、僚紙デイリースポーツで語っていた。

舘さんへの一言が意味するもの。さらに深いところを尋ねたくても、もうできない。渋い声でたしなめたその人、渡哲也さんが亡くなった。78歳。アクション映画や「大都会」「西部警察」などのドラマを思い起こせば、なるほど小手先の世界とは縁遠い。

俳優という立場を離れても同じだった。「西部警察」のロケで見物客を巻き込む事故が起きたとき、翌日、石原プロ社長として制作中止を即断した。問われて口にした理由が「責任とけじめ」。この人らしい。

何で読んだか、東京での学生時代、故郷・淡路の両親から便りが届いたときの話も印象深い。部屋に仲間がいると、場を離れて居住まいを正し、読んだそうだ。伸びた背筋、わずかな恥じらい。ずっと変わらない。

神戸新聞文芸の川柳部門。「水」がお題になった入選作に〈水割りの渡哲也に溺れそう〉（永末節子）があった。いえいえ、溺れた男性もたくさん。


（2020・8・16）

## 内橋克人さんの思い出

神戸新聞社の記者となったのは１９５７（昭和32）年である。戦争を体験した人が編集局にもたくさんいたころだ。その先輩記者の一人からたたきこまれたという「記者三訓」がある。

①必ず現場へ行き、自分の目で確かめろ。いかなるときも、この鉄則を怠るな。②上を向いて仕事をするな。上とは権威のことであり、上司でもある。③攻める側ではなく、攻められる側にいつも身を置くように。

あの時代への苦い記憶をたたえた「三訓」を伝えたいと思ったのだろう。本紙の記者研修で力をこめて話し、ＮＨＫのラジオ番組でも時間を割いて振り返っていた。「不幸な歴史を繰り返すな」という思いを託し。

経済評論家、内橋克人さんである。89歳で亡くなった。経済記者を経てフリーのジャーナリストとなり、企業のありようなどを鋭く問うてきた。ほれぼれするような切れ味で政治の緩みもぐさりと刺していた。

著作や客員論説委員としての本紙寄稿を読んでよく思った。自分の目で見て考える。権力におもねらず、言うべきことは言う。立場の弱い人々の側に立つ。思い出話の「三訓」ではなく、自身の背骨でもあったと。

「大変な時代だけど、頑張って」。やさしい口調の励ましを思い出しながら、今はただ、高い頂を仰ぎ見る。

(2021・9・5)

## 芸名と本名

タレント毒蝮三太夫さんの本名は、石井伊吉さんという。芸名と本名。二つの名前は「将棋の駒の表裏のようなものかもしれねぇな」と話している。

「石井っていうのは、〈歩〉だよ。で、裏返すと、毒蝮になる。これは〈と金〉だ。毒蝮っていうのは〈金〉と同じ力があるんだ」。長い芸歴を誇る面々に迫った『全身芸人』（田崎健太著、太田出版）で読んだ。

及川キミコさんはどうだろう。暮らし向きの厳しい家庭で育ち、中学時代からアルバイトをした。やがて住み込みで働いた先が「かしまし娘」正司3姉妹のおうちだった。思ってもみなかったお笑いの世界へ入る。

正司玲児さんと組んだ夫婦漫才で、ネタを忘れた。怒った玲児さんが本気で突き飛ばしたら、着物の裾をめくって「何すんねん」と飛び蹴りを見舞った。初めて客席がドッと沸いた。どつき漫才の誕生である。

玲児さんの酒、遊び、離婚。「ネタは全部、ほんまですわ」「ウチらの芸は生きざまそのまんま」。どつかれてもどつかれても向かっていく。顔が知られても構えない。街で名前を呼ばれると「ハイヨー」と返す。つらいことも、心で漉して、明るくする。

芸名は書くまでもないだろう。正司敏江さんだ。80歳で亡くなった。将棋の駒でいえば、表も裏も〈と金〉。

（2021・9・23）

編集局長手控え帳❻

## 訃報の難しさ

訃報ほど難しいものはない。亡くなった人の功績をどう評価するか。少し大げさにいえば、歴史観や識見まで問われる。

上方漫才の喜味こいしさんが亡くなった。みなさんが編集責任者なら、このニュースをどう扱うだろう。わたしたちはこいしさんの訃報を最重要ニュースが載る１面で紹介した。「１面か…」と思う人もいただろうが、「関西の宝もの」への惜別の念からである。

2003年に亡くなった兄、夢路いとしさんとの舞台は「上品な芸風」といわれた。なるほど、あつくるしくなりがちな関西弁の漫才界にあって、ほどよい軽さのしゃべくりがかえって個性的だった。

お二人のどちらだったか、自分たちの流儀としての「三ない」をラジオで話していた。「弟子をとらない」「台本は変えない」「トリはとらない」の「三ない」である。

トリではなく、担ったのは「モタレ」。トリの前に舞台をつとめる芸人のことを「モタレ」と呼ぶ。「これで終わりというほどの芸やなし」。これがトリをとらない理由と、淡々と話していた。

面白みも芸歴も上方随一のコンビでありながら、「トリ」をとらない。このあたりに「いとこい」の味がある。「おれが、おれが」の芸能界にあって、ほんのちょっと引く。そのことでかえって、目立つ。「上品」とは、お笑い界での生き方そのもの。ちゃいまっか、師匠。

（2011年２月）

# 第7章

# 若者たちへ、子どもたちへ

# 手紙を書こう

長い夏休みが始まりました。きょうのこのコラムは、夏休みになにをしようかなと思っている子どもたちに読んでほしいので、できるだけやさしく書きます。

みなさんへ、お願いが一つあります。それは、だれかに手紙を書いてみませんかということです。クラスの先生へ、遠くにいるおじいさんやおばあさんへ、1学期にちょっとけんかをしてしまった友だちへ。時間がたっぷりある夏休みに自分の思いを書いてみたらどうでしょう。

というのも、パソコンに夢中の子どもたちが増えているからです。メールは大変便利です。チャットも楽しいでしょう。でもメールやチャットだと、ついつい言葉が乱暴になりませんか。

1学期、悲しい事件が小学校でありましたよね。友だちどうしで、なぜこんなことになったのかな。2人がチャットを楽しんでいたと聞いて思いました。お互いの気持ちが相手にきちんと伝わらなかったのかもしれないな、と。

手紙は真剣に考えながら書きます。自分の気持ちが一番伝わりやすい言葉を探して書きます。だから受け取る人は、封を切るときからわくわくします。それが手紙です。でもみんながメールをするようになって、日本でもアメリカでも手紙は少し減ってきたそうです。

手紙は英語で「スネイル・メール」と言います。スネイルはカタツムリのことです。電子メールと違って届くのが遅いのでこう言うのです。でも、遅くってもいい。大事なことは思いが届くということです。涼しい風が吹き抜ける夏の朝、さあ鉛筆を持って。

(2004・7・24)

## 歩きたばこ

きょうは静岡市の中学生に便りを書きたい。大石悠太君という1年生だ。市議会に歩きたばこ禁止条例を求めた少年である。4日前に記事にもなったので覚えている人もいるだろう。

〈あなたのことを新聞で読みました。危ないし迷惑だから歩きたばこをやめてほしい、と市議会に請願したそうですね。委員会は全会一致で採択したので、本会議も通るでしょう。念願の条例制定まであと一歩ですね。

私はたばこが好きです。正直に書けば、人が少ないと歩きたばこもします。でも歩きながら、良くないなあと思っていました。だから記事を読んで、背中を押された感じがします。もう歩きたばこはやめようと思いました。

人ごみの中でも平気で吸う人はたくさんいます。これは犯罪だと私も思います。乳母車にたばこが落ちてきた話まで聞きます。それに、どうしてもポイ捨てになります。私は携帯灰皿を持っていますが、それでも時々捨ててしまうのですから。

条例で強制するよりマナーを向上させよう、という意見があります。でも残念ながら、マナーはなかなか良くなりません。どうしてでしょう。自分のことしか考えないからでしょうか。神戸では恒例のルミナリエが始まりました。大震災の犠牲者を悼む催しですが、その雑踏の中でもきっと…と思うと、悲しくなります。

ぜんそくの持病があるから、たばこの煙で発作を起こしたそうですね。だから街頭署名まで集めたと知って、頭が下がりました。歩きたばこがなくなって、町がきれいになったらいいいね〉

（2005・12・11）

# 手が語る

社会人になったばかりの初々しい姿が、街を行き交う季節だ。さまざまな励ましの声を見聞きするが、小欄からも、激励の思いをこめて、新社会人へひと言。

本田宗一郎さんの左手のことを書こう。ホンダを世界的な企業へ育て上げた人である。社長業が長かったので、きっときれいな手だろうと思うのは、早計だ。『私の手が語る』(講談社)を読んだとき、あまりにすさまじい左手なのに驚いた。

十代からものづくりの現場にいた人だ。右手でハンマーを握り、加工する物を左手で支える。だからけがは左手に集中するとはいえ、半端ではない。

カッターで人さし指と親指の先を何度も削ったので、右手よりも1センチ短くなったというのだから。

親指のツメは、ハンマーで割って4回も抜けた。旋盤の刃が手を突き抜けた跡も、くっきり残る。傷の模様を詳細に描いた絵まで著書にはあるが、数えると大きいものだけで十数カ所。とてもきれいとは思えない手だ。

「夢中になって仕事をしていると、品物の出来上がりだけを考えていて、自分の手など見ていない」と、本田さんは書いた。生半可な気持ちなら、一つ二つの傷でやめていただろう。その道で一流になろうという固い意志が、こんなにも傷を残した。人生の勲章といえる。

本田さんほどでなくとも、苦労を重ねた練達の人はどの業種にもいる。拝察するに、共通するのは志の高さとへこたれない粘りだろう。軽やかな生き方もいいが、粘ってほしい。それぞれの仕事を愛してほしい。傷はいつか勲章になる。

（2007・4・3）

# 席を譲る

席を譲る、譲らない。席を譲ってもらう、譲ってもらわない。日々、電車やバスの車内で、座席をめぐるそんな小さな物語がある。

先週、本紙発言欄にこんな投書が載った。筆者は17歳の男子高校生である。混雑する電車で70歳代と思わしき女性に席を譲ろうとした。ところが女性は、自分はそんな年齢ではないと怒ったそうだ。席を譲って初めての経験と、この高校生は書く。

投書の波紋が広がる。本紙の読者サポートセンターに「この高校生を励ましたい」という電話があった。関連する投書もいくつかいただいている。女性の対応は大人げない。しかしそれを責めるよりもまず、高校生のやさしい気持ちがひび割れないかと案じてしまう。

吉野弘さんの詩「夕焼け」を思い出す。満員電車で実際に見た光景だろう。前に立つ高齢者に女性が席を譲る。その人が降りると、席に座り直す。これを2度重ねた彼女の前に、3人目が立った。女性はうつむいて、もう席を譲ろうとしなかった。

体を硬くする女性に、詩人は思う。〈やさしい心に責められながら／娘はどこまでゆけるだろう。／下唇を噛(か)んで／つらい気持で／美しい夕焼けも見ないで。〉。席を譲らなくても気持ちは揺れている。それを見守る詩人のまなざしが温かい。

譲る、譲らない。譲ってもらう、譲ってもらわない。四つの言葉が織りなす物語は、この国のやさしさ度を測る物差しでもある。

（2013・7・17）

# 大人の背中

幼い女の子が父の手を握って立っている。電車のドアの前だ。駅に着き、降りようとしたら、若い男が乗り込んできた。２人を押しのけるようにして。

ホームで女の子が言う。「悪いお兄ちゃんだね。降りる人が先なのに」。と、父が静かに話す。「友達が同じことをしたら、ダメって真っ先に怒るんだよ」。不快な出来事を忘れさせる、心地良いやりとりと思って聞く。

兵庫県が人権に関する県民意識調査をまとめた。読みながら、電車で見た2人のことを思い出す。質問の中に、人権尊重について強い影響を受けたものは何かを問うものがある。最多の答えは「家族でのふれあい」。あの女児もそう答えるだろう。

漢字で書けば緊張感が漂い、声に出せば響きは重々しい。とかく堅苦しくなりがちな言葉だが、人権の2文字をかみ砕けば、思いやり、ではないか。幼い頃からその心根を育むことが何より大事だと、県民調査は伝える。

臨床心理学者河合隼雄さんの『子どもと学校』（岩波新書）に楽しい詩がいくつかある。例えば1年生の男児は、約束を守れという父の教えにうなずきながら、正直「なんのことかわからへん」。だって「おとうさんもまもれへんことが／いっぱいあるのに」。

人として大事にしたい、人権。そう教える大人の背中を、子どもたちがじっと見詰めている。

（2014・4・16）

# ＥＴＣ世代

作家宮本輝さんが服を買おうとした。ところが店員の対応が遅い。少しいらいらするのを察したか、上司が指示をして店員を場から離れさせ、新人だと小声で謝ったうえでこう続けた。「ＥＴＣ世代なもんですから」

ＥＴＣとは有料道路の自動料金収受システムのことだ。速度を落とさないとバーは上がらない。そこでゆっくり教えないと心のバーも上がらない世代をこう呼ぶと、宮本さんは知る。エッセー集『真夜中の手紙』（新潮社）にある。

命名者は日本生産性本部である。毎春、新入社員の特徴を発表する。ＥＴＣは２０１０年だ。単語一つで世代を表すのはやや無理がある。１年で持ち味が変わるはずもない。しかしこの上司のように、なるほどと心の中で膝を打つ人もいるだろう。

今年は消せるボールペン型だそうだ。見た目で判断してはいけない。機能が違う。柔軟な対応力がある。ただし、こすった熱が文字を消すように、指導に熱を入れすぎると個性を消しかねないからご注意、のオチが付く。

社会に出たばかりの若者は何かと話題になる。サラリーマン川柳に以前「電話口『何様ですか?』と聞く新人」があった。そう書いた投稿者もきっと、たくさんの失敗を重ねている。叱られ、励まされて、人は一人前になる。

おっ、やるな。そう言わせたいね、汗する君よ。

(2015・4・5)

## ごみを拾う

3年前の本紙イイミミ欄で読んだ話。電車内にごみが落ちていた。それを見た男子高校生が袋に入れ、自分のポケットへ。居合わせた男性が「気持ちええ高校生や」と知らせてくれた。

落ちているごみを拾う。その場をきれいにする。誰かのささやかな行いが見る人に温かいものを残すのだから、たかがではない。

訪れる人に気持ちのいい風を送りもする。例えば、淡路島の「全島一斉清掃の日」。今日が実施日である。始まって30年目と、先日の紙面で知った。年2回で、昨年は1回に3万5千人が汗を流した。長い歴史といい規模の大きさといい、頭が下がる。

うねりのような動きすら起こす。清掃活動を続けるＮＰＯ法人グリーンバードのメンバーは、今年の姫路城マラソンでごみ袋を手に走った。活動は国外へも広がり、パリの日本人メンバーはそろいの姿で街へ出る。

これは別のグループだが、京都の繁華街・河原町には、銅像の装いで路上パフォーマンスをしながらごみを拾う若者たちが現れる。偶然見かけたが、手伝う人もいた。「いつか何百人も巻き込み河原町の大掃除を」。ここまでくれば一つの表現である。

サッカーのＷ杯ではスタンドのごみ拾いが話題になった。もはや「きれい」は日本文化。多様で、かっこいい。

（２０１９・７・７）

# がんばるきもち

手元のスクラップブックに、1編の詩を切り抜いて貼っている。昨年5月、神戸新聞文芸の特選「連絡帳」である。8行だけの短い世界に励まされ、うなずき、ちょっと頬が緩んだ。

作者は姫路市の中島友子さん。〈持ってくるものの欄に／がんばるきもち／とこうたろうは書いた／支援学級の四年生〉。1行開けて、後半の4行。〈先生からは／ステキです／おべんとうも／わすれないでね〉

宿題も大事だが、学校へ持っていくもっと大切なものがある。それは「がんばるきもち」。前を向いて歩く姿が行間から浮かんだ。先生の返事もいい。コロナ禍の記事が多い紙面にさわやかな風が吹いていていた。

スクラップブックに貼った詩を読み返しながら思う。社会を覆う重苦しさはいつ晴れるか分からない。不安に押しつぶされぬよう、仕事へ向かうバッグの底に「がんばるきもち」をしのばせた人もきっとたくさん。

分散参拝で、年の瀬に近くの神社で手を合わせた。長い列にせかされず、ゆったりと参った後、目に入った絵馬に「看護師になりたい」の文字。新しいからつい最近のものだ。感染症対策で激務と知ったうえで希望する。きれいな字に固い決意を見る。

おそらくあなたも「がんばるきもち」と心の連絡帳にお書きだろう。

（2021・1・3）

# 若者のやさしさ

人通りの多い道で、硬貨を数個、うっかり落とした。探していたら、傍らから10円玉1個を無言で差し出す人の手が。転がっていたのを拾ってくれたのだ。立ち去ったのは若い男性。

そういえば、と少し前の出来事を思い出す。追い抜いていった人が振り返り、こちらの足元を指さして「危ないですよ」。見ると、靴ひもがほどけていた。かがんで結びながら後ろ姿を見たら、これも若者だった。

そういえば、をもう一つ。風雨の強かった日、84歳の女性が転んで頭を打ち、血が出た。居合わせた人たちが上着を脱いで体にかけ、持っていたタオルで頭をくるんだ。高校生だったと、4月の本紙発言欄に。

最近の若いもんは、と年長者は言いたがる。なるほど、間違って振り込まれた大金をカジノで使い果たしたとされる愚かな者がいるし、マナーをわきまえないことも間々ある。しかし総じて、やさしさや思いやりの度合いは、親世代より上がっていないか。

こんな人は友にしたくないと、吉田兼好が「徒然草」で挙げる7例。今風に書けば、①肩書の重い人　②年の離れた若い人　③病のつらさが分からない丈夫な人　④飲んだくれ　⑤血の気の多い人　⑥うそつき　⑦欲張り。

ほとんどは、その通り。でも②は外そうと、路上の体験がささやく。

（2022・5・22）

## 入試の季節に

2月。入学試験の季節である。受験生は雪対策も大変だろうと考えていて、ふと思いだした話がある。それは。

13年前のことだ。パイロットを目指す埼玉の女子中学生が、石川・輪島にある高校に入りたくて、母と向かった。しかし豪雪で、JRが新潟で運休に。試験に間に合わないと泣く少女を励ましながら、母はヒッチハイクでたどりつこうとする。

でも吹雪で車は止まらない。ガソリンスタンドに1台だけいた大型トラックの運転手に頼むと、「金沢までなら」。同じ年ごろの娘がいるという彼は、金沢に近づくと「よし、輪島まで行っちゃる」。トラックが高校に着いたのは、試験開始の10分前。

運転手は「がんばれ」と言い残し、連絡先を告げないまま去ったそうだ。当時、豪雪の中で起きた話を北國新聞などが取り上げた。きょうの小欄は、それらを参考にして。

話はこれで終わらない。第2幕があった。神さまは見ていたのだろうか。出された作文のテーマは「わたしが感動したこと」。もちろん、少女が書いたのは、前夜からの体験である。後日、合格通知が届いた。

入試。子どもたちにとって、とても大きな節目である。集中できるよう、心を配りたい。たくさんの力に支えられて笑みは生まれる。この少女のように。


(2023・2・2)

編集局長手控え帳❼

# 敗者復活戦

「敗者復活戦」という言葉が好きだ。言葉だけでなく、その仕組みが好きだ。

だれしも何度か手痛い失敗をする。その失意と絶望の底でもう１度、前を見るか、さらに落ち込むか。再起の決意を社会や組織が受け入れるか、拒むか。この差はとても大きい。

この時期、運動面の小さな記事が気に掛かる。戦力外通告を受けたプロ野球選手たちの情報が載っているからだ。夢見た球界で「クビ」を告げられる。劣勢で迎えた野球人生９回裏２アウトの気分だろう。

華やかなスター選手の話題に、まったく関心はない。泥水をなめた選手がどんな敗者復活戦に挑むかの方がずっと興味深い。

かつて「リストラの星」と呼ばれた選手がいた。いまライオンズの２軍コーチを務める宮地克彦さんである。

投手でプロ入りしたが成績を残せず、外野手に転向した。そして「戦力外通告」。合同トライアウト（入団テスト）でも声がかからなかったが、運よくホークスにテスト入団。プロ16年目で初めてレギュラーに定着し、ついた異名が「リストラの星」である。

直後にけがで２度目の「戦力外通告」となったとき、確か彼はこう言った。「もう１度、奇跡を起こすところを見せたい」。せんない夢だったが、心意気は伝わった。

一直線に駆ける人生もいい。でも、敗れ敗れ、曲がってくねって、何度ももだえながら歩こうとする人生は、もっといい。

（2011年11月）

# あとがき

「玄関の一輪挿し」という言い方がある。新聞の1面にあるコラムを例えたものだ。どなたの言葉か存じ上げないが、ずいぶん前に目にして、そうだなあと深くうなずいた。

朝、新聞を手にする。まず1面を読む。トップ、さらに準トップから下へ目をやると、そこに、小さなコラム。見出しもない。署名もない。1面という玄関にあって、1、2分もあれば読めるささやかな欄だが、担うものは小さくない。

と、自分に言い聞かせながら、神戸新聞の1面コラム「正平調」を書いてきた。最初の5年間の多くは週に4、5回、いったん編集局へ戻った後、再び論説委員室で週2回ペースの11年間。2023年2月末で退社するとき、数えたら計1927回になっていた。

書き始めたころ、職場にある正平調の古いスクラップブックで先輩たちのコラムを読んだ。落ち着いている。まとまっている。大人のたたずまいがある。僕にはこんな味はないなあ…とため息が出た。

では非力のコラム書きはどうしたらいいだろう。

まなざしを低くし、同じ時代を生きる皆さんの息遣いに耳を澄まそう。そして、腹立たしい出来事があれば腕まくりをしよう。涙のしずくが新聞紙に落ちそうなことがあったら、背を震わせる人のそばに立とう。論を説かず、情けを語ろう。

こんなことも心がけた。小さな話をたっぷり持っておこう。読んでいる本の中に印象深いくだりがあればコピーをし、映画で小粋なセリフがあればその場でメモをしよう。電車の中で耳にした一言、街で見かけた光景も忘れないように。そんな話が２０００ほどになり、小分けをして整理した。コラムのちょっとした味付けである。

その日に書くテーマを決めたら、組み立てを考える。使えそうなものがないか、自前の「小さな話」メモに目を通す。ときに社の資料を繰り、図書館へ走って行って書棚の谷間を歩く。それから、時計を見ながら記者パソコンの前でウンウンうなる。

この本に載せたものは、できがいいからではない。そうやってたっぷりうなった覚えがあるものばかりだ。


10年ほど前、新聞各社の集まりに出席したときのことを思い出す。会議後の軽い宴席で、隣り合った他社の方と歓談するうち、コラムのことが話題になった。すると、テーブルの世話をしていた女性が話の輪に加わった。その日、駅の売店で新聞を買い、目に止まったのが1面コラムだったという。男と女について書いていたそうだ。読みながら思わず泣いたと彼女は言う。「自分のことと重なって、つい」

若い人たちに新聞を読んでもらうにはどうしたらいいか。どの新聞社も知恵を絞る。肩ひじの張らない1面コラムは、いい入り口になるかもしれないと、その時思った。残念ながら、合わせて16年間にもなったコラム書き人生で、若い女性が涙を浮かべるような一輪挿しは一度も生けられなかったけれど。

各コラムの文末にあるカッコ内は紙面に掲載された年月日である。いつ、どんなことがあって、書き手は何に思いを巡らせたか。ご参考までに。各章に挟んだ「編集局長手控え帳」は、神戸新聞のホームページで同名のコラムとして書いた99編から選んだ。箸休めにどうぞ。

退社後、神戸新聞社論説委員長の勝沼直子さんが「本にしませんか」と声をかけてくれて、作業が始まった。どのコラムを載せるかについては、現在正平調を担当する論説委員の木村信行さんにも、一緒に考えていただいた。あらためてお礼を申し上げる。出版に際しては、神戸新聞総合出版センターの合田正典さん、岡容子さんに助けられた。感謝します。

2024年1月

林　芳樹

**林　芳樹**（はやし・よしき）
1951（昭和26）年3月、兵庫県南あわじ市生まれ。同志社大学文学部卒。美学・芸術学専攻。1975（昭和50）年に神戸新聞社入社。主に社会部で勤務し、社会部副部長、文化生活部長、論説副委員長などを経て、2009（平成21）年に編集局長、2012（平成24）年から神戸新聞社特別編集委員兼論説顧問となり、2023（令和5）年2月に退社。論説委員室では１面コラム「正平調」を担当。
著書に『女義太夫一代―豊竹団司じょうるり人生』『それぞれの終章―読者と語る生と死』など。取材班として取り組んだ『火輪（かりん）の海―松方幸次郎とその時代』で村尾育英会学術賞、井植文化賞。社会部でのキャンペーン企画「ゴミを追う」で井植文化賞。

**林 芳樹の「正平調」**
**神戸新聞1面コラム傑作選**

---

2024年2月20日　初版第１刷発行

編　者――神戸新聞社論説委員室
発行者――金元 昌弘
発行所――神戸新聞総合出版センター
〒650-0044　神戸市中央区東川崎町1-5-7
TEL 078-362-7140／FAX 078-361-7552
https://kobe-yomitai.jp/
装丁／神原宏一
印刷／株式会社神戸新聞総合印刷

---

落丁・乱丁本はお取り替えいたします

ISBN978-4-343-01212-8 C0095